萧乾 主编

新编文史笔记丛书

第二辑

18

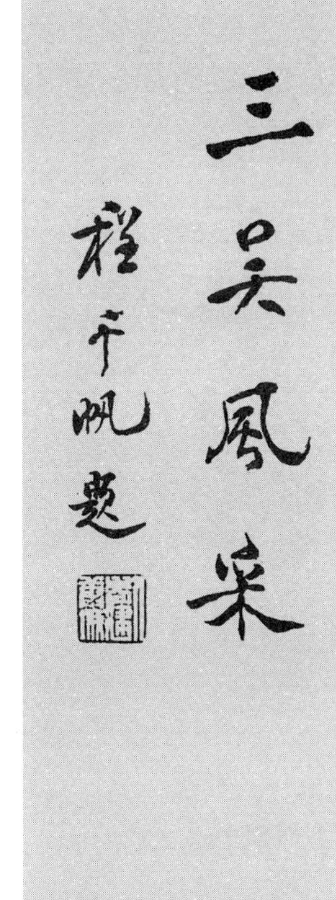

◎江苏省文史研究馆 编 ●倪明 主编

中華書局

目 录

学运纪实

救亡记痛

敌后见闻

学苑琼英

文坛拾萃

艺林揽胜

珍宝揭秘

名人佳话

耆年忆旧

序

萧　乾

读书界向来对野史有所偏爱。野史大多是信手拈来的历史片断，且往往出自亲历者之手。文直事核，不虚美，不隐恶，而文笔潇洒自如，意味隽永，自然朴实，篇幅不长；可以摊开来仔细咀嚼，也可供茶余酒后、行旅倥偬中，随手浏览。

鲁迅在《华盖集》中，曾几次对野史表示过好感。在《忽然想到》一文中写道："历史上都写着中国的灵魂，指示着将来的命运，只因为涂饰太厚，废话太多，所以很不容易察出底细来。正如通过密叶投射在莓苔上面的月光，只看见点点碎影。但如看野史和杂记,可更容易了然了,因为他们究竟不必太摆史官的架子。"又在同书《这个与那个》一文中说:"野史和杂说自然也免不了有讹传,挟恩怨,但看往事却可以较分明,因为它究竟不像正史那样地装腔作势。"

全国文史研究馆所编的《新编文史笔记》丛书,内容也属野史杂说的范畴。我们希望这些以亲闻、亲见、亲历为主的轶事掌故、琐闻杂记,写人、事而摒除误会曲解,述历史而符合真实面目。

作为一种短隽有味,文字清奇而又雅俗共赏的文学体裁,笔记在中国具有悠久的传统。它始自魏晋,盛行于宋代。南朝刘义庆的《世说新语》,北宋沈括的《梦溪笔谈》,南宋陆游的《老学庵笔记》,明朝张岱的《陶庵梦忆》,清朝纪昀的《阅微草堂笔记》以及20世纪30年代初丰子恺的《缘缘堂随笔》,都是文学史上的奇葩。然而,近年来笔记乏人问津。因此,我们出这一套书,也包含着挽回颓势之意。

全国三十二所文史研究馆拥有雄厚的稿源,两千多位馆员和各馆联系的社会人士,都是丛书的撰稿人。他们都是文史界的耆宿,见多识广,阅历丰富:有的反对过帝制,有的在"五四"运动中扛过大旗,他们目睹过军阀的横行霸道,也经历过艰苦卓绝的八年抗战。这些历尽沧桑的饱学之士,他们的所见所闻,都是弥足珍贵的史料。

本丛书分辑出版，分别由各地文史研究馆编辑，内容亦以本乡本土为主。因此，各册势必具有浓厚的地方色彩。

本着笔记固有的传统，所收各文题材不嫌庞杂。举凡与文史有关的政治、经济、军事、文化、社会等方面，或记闻见杂事，或叙往昔交游，或忆社会百态，均在搜罗之列。时间跨度则自清末以迄1949年为止。这正是中华民族从闭关自守到走向世界，从落后羸弱到奋发图强，是天翻地覆、风起云涌的大半个世纪。其间，发生过多少可歌可泣的事迹，涌现过多少杰出的人物。以这一时间跨度为背景题材写出的笔记作品，必然是内容最为丰厚的。

在选稿标准上，我们坚持史料一定要真，内容要新；既要防止以讹传讹，也力避炒冷饭。在写法上务求短小精悍、生动活泼。每篇以千字为度，希望借此在文风方面，提倡一下简约。在版式上，则想做到既利于阅读，又便于携带。

恳切希望文史界方家及广大读者，不吝赐正。

熊成基烈士被捕真相

丁惟兴

熊成基(1887—1910),江苏江都人。光绪三十四年(1908),领导安庆马炮营起义,失败后流亡日本。宣统元年(1909)回国,在长春、哈尔滨等地进行革命活动,不幸事泄被捕,壮烈牺牲。其被捕牺牲之经过,许多著作的叙说颇不一致。兹据先兄丁鼎丞(名惟汾,国民党元老)先生抗战前所征集的《熊成基在东北被捕后的档案》(现存北京中央档案馆)之记载,对这个问题提供一些鲜为人知的资料:

宣统元年二月(农历,下同)间,熊成基由日本回到长春,化名张达勋,字立斋,自称河南永城人,因《长春日报》社编辑周晋生介绍,结识奉天省怀德县(今属辽宁)四十六岁的商人臧贯三。其后,即与臧时有往来。关于熊在此期间之革命活动,吉林巡抚陈昭常有奏折云:“六月间,党人集议,欲谋举大事,必先筹备巨款。东三省地处日俄之间,将来必有战事,大有可乘之机。适有孙铭得有日本陆军秘密图书,欲卖与俄人,可得巨值。伊(指熊)即挺身担任销售,意欲藉此暗谋交接俄人,酿成战局……”同折又称:“(熊)旋又到哈尔滨,以从俄人夹根肄习俄文为名,销售密书,乘便纠合同志,勾串胡匪,以图大举。”熊销售密书之事,臧贯三也曾参与。臧曾通过一赋闲俄文翻译王雨亭,转找俄国守备队翻译邵善征进行此事。臧贯三的供词称:“熊言陆军密书,如卖出,当提数万元(后又供称数千元)借给小的为公司资本。”关于熊成基之被捕,臧的供词称:“八月节后,小的同王雨亭、熊成基在宾宴楼吃酒。醉后,同坐一辆马车上二道沟,车中他道出姓熊。两三日后,小的到熊成基处,追问车上所说姓熊之话,他用小铅笔写出熊成基三字,并嘱不要声张。自此,小的才知道他的真姓名。”根据臧贯三及另一与此案有关的董冠三(曾在某府署充当代书,当时赋闲)二人的供词称:在臧知道熊的身份后,因熊已去哈尔滨,后又闻已去俄京,故未告发。但在此期间,臧曾托董探询熊成基安庆起义之事。嗣后,董告知,熊确系领导安庆起义之首领,是朝廷悬赏五千两纹银要捉拿的人。

其时，臧因害怕累及正在东京读书的儿子，又因“想他卖书得钱，可借小的做本”，故迟疑未决。直至十二月十六日董再次找到臧处探问，这才“商量出首报告”。十七日，二人具禀民政司告发，十八日，二人随抚署刘中军至哈尔滨，十九日，熊成基在宾如栈中被捕入狱。这些材料说明，熊成基之被捕，实出于臧贯三、董冠三两人之合谋告发，而董冠三在其中起了重要作用。案结后，董得赏金一千两，亦可见其作用之大。

熊成基被捕后，坚贞不屈。据前述《档案》记载，熊在受审时曾慷慨陈词云：革命造反，皆系自己一人所为，与他人无干。安庆起义“实由于计划未周，城中内应误事，以致失败耳”。并谓：“各国革命之历史，多系流血数次而后成功，我此次失败者，普通社会中人未附和也。推其未附和之原因，血尚未足耳。即如草木，不得雨必不得发达，我们之自由树不能多血灌溉之，焉能期其茂盛。我今速死一日，我之自由树早得一日鲜血，早得血一日，则早茂盛一日，早茂盛一日，花方早放一日，故我现望速死也。政府你决不能诛尽我党，只有愈杀愈多！”

宣统二年(1910)正月十八日，熊成基烈士视死如归，英勇就义，其时年仅二十三岁。

名捐道台　实资革命

陶耀善

1910年，先祖父陶德琨留美归国，定居武汉，遂得以与其姑表兄刘公(字仲文，时为共进会负责人)经常过往，共商革命大计。商谈中，刘多次提出，随着革命形势的发展，所需经费日益增多，希望先祖父设法筹措。

当时正值年关，陶返乡省亲，并到姑父刘子敬老先生(即刘公之父)处拜年。刘老先生乃当地巨富，聚财有道，且极喜与人交谈致富之术。先祖父留美八年，学的正是经济学科，又是刘老先生一向喜爱的晚辈，故一到刘家，他们就热烈叙谈起来。先祖父大谈留学见闻和欧美风情，绝口不谈革命。当老先生谈及刘公等后辈前程时，先祖父遂引《四书》中“生财有大道”之说，进言道：农工劳苦而获利甚少，商贾风险大而致富亦不易，未若出钱捐官，既风光体面，又一本万利，才是生财之“大道”。刘老先生大觉有理，忙问计于先祖父。先祖父正色云：若能有几万两纹银，捐个“道台”，便可当大事，坐大轿，称“大人”，那时，一呼百应，威风凛凛，那白花花的银子还怕不送上门来么?老先生听得此言，正中下怀，不觉喜笑颜开，连连称妙。先祖父见时机已到，立即再进一言道：仲文表兄留学日本多年，经纶满腹，只是眼下时运不济，苦未得售；您老人家只要拿出二万两银子，给表兄捐个道台，还怕仲文兄不飞黄腾达？刘老先生平日并不是一位肯轻易掏钱的人，但听了先祖父这番谈论后，竟慷慨应允。隔不几日，便将银票二万两汇至汉口，并托先祖父代办一应事务。刘公得银大喜，盛赞表弟计谋之绝妙。随后，即以一万两银子开销革命活动之急需，另一万两仍交先祖父保存。民国二年(1913)李烈钧通电讨袁，刘公遂将该项银两提出，援助“二次革命”。

孙中山在南京夫子庙演讲

洪立昇 口述　谌秉直 整理

1912年，南京临时政府与袁世凯进行南北和谈的时候，革命党人内部，对和与战的问题，曾发生过不少争论。

一天下午，孙中山先生突然走出总统府，来到城南夫子庙。他叫卫士到一家茶社泡了一杯茶，借出一张桌子和一条板凳，作为临时讲台，用喇叭筒操着带有广东腔的普通话，对群众演讲时局问题。当时，听众从附近几个茶社聚集过来，越聚越多，但大家并不知道站在面前的就是临时大总统。我那天也正好在场，大家看到演讲

者器宇轩昂，仪表非凡，态度和蔼，声音洪亮，洋溢着满腔为国为民的革命热情。他精神饱满，滔滔不绝地历数着清朝政府腐败无能的事实和丧权辱国的罪行，人民群众饱受专制压迫的种种痛苦；然后又阐述了共和政体是民众当家作主、共商国是的一种好制度，符合中国人民愿望的道理。

他在扼要介绍当时的政治形势之后又说：现在南京临时政府和北方清政府正处于对峙状态。论政治形势，南方优于北方；讲军事实力，则北方胜过南方。因此，有人碍于北方实力，不主张用武装力量去推翻清政府，而主张用政治方式，进行和平谈判。也有人认为，革命本来就是艰巨的，只要坚持到底，克服困难，一鼓作气，趁势进攻，就一定可以取得胜利。这两种不同主张，你们看哪种办法好？是战好？还是和好？

南京人民在革命军光复南京之前，受到清军张勋大辫子兵的蹂躏屠杀，记忆犹新，一听到“打仗”二字，莫不谈虎色变，胆战心惊。于是，听众不约而同地说：“我们要和，不要战。”

中山先生含笑点头说：“我就是孙中山，你们的意思我知道了。”

这时，大家才知道这位演讲的中年人竟是现任中华民国的临时大总统，听众立即报以热烈的掌声。中山先生就在这种融洽的气氛中离开了茶社。

散场之后，人们三三两两地议论开了，有的

说:“孙中山的名字,早就如雷贯耳,只是未见其人,今日一睹丰采,真是快慰平生。”有的说:“民国到底与清朝不同,国家大事也跟老百姓商量。”

随侍孙中山先生见闻

陶德琨 遗稿 陶耀善 整理

辛亥武昌首义,成立中华民国军政府,我被推举为财政部部长兼武昌造币厂总理。次年元旦,孙中山先生在南京就任中华民国临时大总统。我以币制问题关系重大,应由中央政府统筹规划,遂与鄂中当道商妥,解除我在军政府中的职务,派我以商筹币制改革之名义,前往南京,晋见大总统及财政总长。到达南京后,蒙大总统派财政部次长王鸿猷招待我在大总统府内居住了两个多月,因而我得以有机会经常谒见中山先生,领受先生的教诲。

记得有几次,我和临时参议院的湖北代表刘成禺、外交部次长魏宸组、财政部次长王鸿猷诸位老同学,在大总统的卧室外间炉边随侍时,漫谈过古今中外的许多问题。现就中山先生与我们谈及的几个问题,记述如下:

关于民国纪元,武昌军政府曾用黄帝纪元,而临时政府则改用公元纪年。先生认为:辛亥革

命推翻满清帝制，是我国结束数千年封建帝王统治，进入世界民主政体行列的开端，自不应以黄帝纪元为制，而应实行世界通行的公元纪年。

关于民国国旗，武昌起义时是在一方红旗上，用十八个黑团代表十八省，红黑二色分别代表铁和血，含有“联合十八省同胞，以铁血主义恢复汉族政权”之意。孙先生就任临时大总统时，采用五色国旗，以红黄蓝白黑五色，代表汉满蒙回藏五族。我们认为，以五色国旗标志五族共和，较之十八团旗，更为妥善。而先生则以为：五色国旗乃当时仓促采用的，其式样亦未尽妥善。中华民国所包括之民族以数十计，仅举五族，已属不妥；且以汉族居首，显然有大小之别，以大治小，殊欠允当。

关于南京临时政府与袁世凯之间的关系及民国的政治前途，先生同我们讨论过多次。先生和我们都认为，袁世凯是一个阴谋家、野心家，善于玩弄权术。武昌举义，清廷不得不起用袁世凯，以挽救危局。袁世凯则既要推倒满清，又要打倒革命党人。他的手段是：一方面借助革命，迫清廷向他屈服；而清廷将垮时，又将它扶起，以对付革命党人。另一方面，他对革命军，则打一下又拉一下，打的时候以拉为目的，拉的时候又以打相威胁，几打几拉之后，终于使革命党人不得不接受他的片面条件，又使清廷不能不将政权完全交给他。当时，革命党人既没有在农工群众中建立起自己的广大基础，革命军队又都是临时招募的，缺乏战斗力，无法抵抗袁世凯的久练之师。鉴于清军冯国璋进攻汉口时，纵火焚烧三日夜，全市化为灰烬，惨不忍睹，若继续打下去，不知还要牺牲多少生命，损失多少财产，更没有取胜的把握。先生为顾全大局计，遂决定将大总统名位让给袁世凯。

南京临时政府发行的通用银元票

郭兴强

南京临时政府从1912年元旦成立，到孙中山先生辞去临时大总统，虽然只有三个月时间，但它却发行了自己的货币——通用银元票。

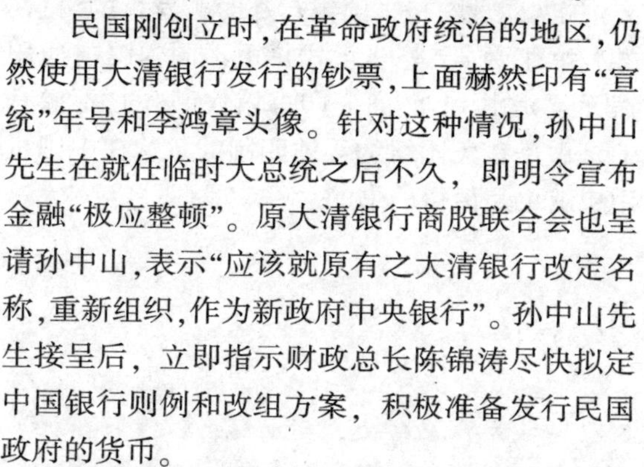

民国刚创立时，在革命政府统治的地区，仍然使用大清银行发行的钞票，上面赫然印有“宣统”年号和李鸿章头像。针对这种情况，孙中山先生在就任临时大总统之后不久，即明令宣布金融“极应整顿”。原大清银行商股联合会也呈请孙中山，表示“应该就原有之大清银行改定名称，重新组织，作为新政府中央银行”。孙中山先生接呈后，立即指示财政总长陈锦涛尽快拟定中国银行则例和改组方案，积极准备发行民国政府的货币。

经过很短时间的紧张筹备和改组，中国银

行于1912年2月1日上海《申报》刊登公告,宣布"本银行奉孙大总统谕组织成立,为民国中央银行,今择2月5日在上海大清银行旧址先行交易,择吉开幕"。紧接着,中国银行南京分行于2月10日成立开业,并开始发行通用银元票。

通用银元票分"一元"和"五元"两种面额。正面为中文,印有"中华民国元年二月吉日中国银行发行"、"凭票即付通用银元执此为照"和"南京"等字样;背面为英文,印有钞票票号和正副行长的中文签名。一元票正面为棕色,背面为绿色;五元票正面为蓝色,背面为红色。通用银元票总发行额为四百万元,用以兑换先期取代大清银行钞票临时流通的南京军用票。

通用银元票的发行具有一定的历史意义。首先,在中华民国史上,它是由国家中央银行首次发行的正式流通货币,它的流通范围广,且具有一定权威性,与中国银行那时曾发行的"兑换券"和"汇兑券"等非正式货币不同;其次,通用银元票是由"上海商务印书馆代印"的,不像其他纸币是在美国纽约等地印制的。这在中国货币史上也是值得一书的。

民国第一套普通邮票及其设计参考图

袁风华

民国邮政于1913年5月正式发行的第一套普通邮票,共有十九枚。按其面值分、角、元之不同,采用了三种不同的图案:半分至一角的图案,是以远处大桥上行驶火车为背景的帆船图,俗称帆船票;一角五分至五角的图案,是以天坛为背景的农民收割稻禾图,俗称农获票;一元至十元的图案,是北京国子监内辟雍前之门楼图,俗称宫门票。

其实,这套邮票最初的设计参考图并非如此,如今已鲜有人知其来龙去脉。

最初的设计图也是三种不同的图案,一种是以广州黄花岗七十二烈士墓为背景,辅以青松、菊花和烈士遗骨;这一以民国开国纪念地黄花岗为主题图案的设计,表达了一种"民国之花,盖由万千烈士鲜血浇灌"的意境。第二种设计图为饮马长城窟图,以万里长城为背景,表现了革命军浩浩荡荡骑马行进的场面。这一设计图,"表示革命大功告成,建立中华民国,军人饮马长城畔之意"。第三种设计图,以孙中山身着

大礼服，手执剑柄，立于民国初年北京总统府(清居仁堂)之前的画面，表示民国建立前后的历史对比，寓示国民革命的划时代意义。

虽然这套设计参考图最终未能成票，其中原因也还未能查明，但这套设计参考图，无论是其构图、还是设计思想，都具有较高的思想意境和艺术价值，它反映了以孙中山先生为代表的革命先驱者为建立资产阶级革命政权，抛头颅、洒热血，英勇斗争的史实。因而，它在我国邮票设计史上，弥足珍贵。

黄兴与李寿铨

李为扬

光绪三十年(1904)，黄兴在长沙成立“华兴会”，致力于推翻清廷的革命活动。其时，先父李寿铨创办江西萍乡安源煤矿。安源与长沙近在咫尺，黄兴因发展会员、推动革命等事宜，常到安源，得以与李寿铨结识，彼此志同道合，遂为知己。迨兴中会与华兴会合并为“同盟会”，李即经黄介绍入会，并参加革命文学团体“南社”。此后，李寿铨便以萍乡为基地，积极支持和掩护黄兴的革命活动。黄曾亲书对联赠李：“襟怀欲吐天开朗；意气相倾山可移。”联上钤一白文图章曰：“铲除世界一切障碍使者”，可见黄兴气魄之怀弘和抱负之远大。

民国元年(1912),黄兴莅任南京临时政府陆军总长。不久,袁世凯窃据临时大总统,政府北迁,黄兴任南京留守,曾有意邀李寿铨参与留守府政务,然因政局动荡,此议未果。是年冬,黄兴返湘省亲,李亲迎于长沙,并陪同黄兴到安源参观考察五天,畅叙友情。后来,李在安源煤矿弹子房大厅悬挂黄兴巨幅半身像,并修建“黄兴桥”一座,以资纪念。

民国二年三月二十日,宋教仁应袁世凯电召,由沪入京。黄兴等到上海北站送行,甫入月台,即遭袁所派刺客狙击。宋中弹,伤重逝世。黄亦险遭不测,旋返南京,兴兵讨袁。事未成,东渡日本。嗣后因病回国,于民国五年十月三十一日病逝于沪,享年四十二岁。李寿铨闻耗,感伤不已,赋《悼黄克强》二首挽之:

一别三年久,音书迄未通。
襟怀包宇宙,踪迹渺西东。
几中魔王毒,行嗟大道穷。
苦心天不负,一将竟成功!

还我共和国,全凭笃实人。
伤时频呕血,忧国倍怆神。
白昼昏无色,长江惨不春。
英雄今已矣!何以慰斯民?

诗中“几中魔王毒”,即指上海北站送宋时遇险事。而“英雄今已矣!何以慰斯民?”则表达了作者对一代巨星陨落的沉痛悼念。

黄兴卒后次年，国葬于长沙岳麓山。民国十年，李寿铨又有《吊黄克强墓》诗云：

顿触沧桑感，来游岳麓山。
阴晴三月暮，烽火十年间。
国事纷无定，英雄去不还。
欲回尘世劫，自愧鬓毛斑！

诗人感叹民国成立已有十年，然军阀混战，国步维艰，英雄去后，再无回天之人如黄兴者。

以上三首诗哀恸悱恻，感人肺腑，惜未曾辑入《南社丛刻》。

黄兴断指辨

李为扬

辛亥元勋黄兴在长期革命生涯中，右手曾两次受伤致残。但有些文章对其断指之记载，或语焉不详，或传闻失据。至于究竟伤了几次，伤的是哪几个指头，更是言人人殊，莫衷一是。对此，我作为知情者，深感有一辨之必要。

民国元年(1912)11月，黄兴应先父李寿铨之邀，到安源参观访问。先父设盛宴欢迎黄兴，其时距黄第一次断指一年又三个月，距第二次断指仅五个月，故黄兴在席间曾谈及伤指之事。

先是，宣统三年(1911)农历三月二十九日，黄兴在广州领导黄花岗起义。激战中，右手中弹，击伤食指、中指，断其一。四月二日，脱险抵香港，入雅丽医院。当时因尚有一指未断，须手术截除。女同志徐宗汉便以黄妻名义为手术签字。出院后，两人遂结为伉俪。黄花岗之役后，黄兴曾有函致同盟会和孙中山，末署“左手拈笔”，说明当时右手已负伤。

黄兴第二次断指是在1912年6月9日。当时，黄任南京留守。黄在办公室与亲友数人叙谈，谈至兴奋处，突然站起，挥臂作势，不料右手插进正在飞转的电扇罩内，无名指旋被削去一节。从此黄的右手，只剩大小两指完整。由于伤残过甚，他不仅常以左手握管作书，而且在日常生活中，亦习惯于用左手梳头，于是其发型便由左偏分改为右偏分。

有些回忆文章记载：1912年黄兴任南京留守前，右手完好无损。并说黄兴在黄花岗之役断指之说不可靠，和徐宗汉结婚亦与断指无关。我认为，这些说法与事实不符。在此，除将我亲知之各点记述如上外，特再援引下列三则文字记载，以资佐证。

民国元年冬，新中国图书局出版之《满清稗史》，其中《黄兴传》载：“轰击广东督署一役，君自携炸弹，率众奋斗。是时有谓君负重伤而死者，有谓君已就缚而斩者，实则君被流弹所中，仅伤食指、中指，已冲出重围，而避于香港矣！”

黄兴次女黄德华之夫、美籍教授薛君度于1961年3月出版《黄兴与中国革命》中译本也载有："出了督署，行抵东辕门，黄兴等与清军遭遇，不料林时塽中弹而死，黄兴正举枪还击，右手中弹受伤，断中食二指，因众寡不敌，起义者被击败。黄兴避入绸布店，更换衣服，奔向珠江南岸党秘密机关，由徐宗汉替他包裹指伤，三日后脱险抵港。其后黄徐姻缘，即结因于此。"

《民国春秋》1987 年第一期刊登孙宅巍撰《黄兴两次断指的来历》一文也说：1911 年 10 月 30 日，黄兴在武昌陆军第三中学向师生演讲时，举右手敬礼，作者看见黄兴只有三个手指头。

由此可见，黄兴断指确定两次，都在右手，其中食指、中指系黄花岗之设为枪弹所伤，无名指系留守南京时插入电扇所伤。鉴于有些文章记载失实，为不致讹传是，特作比文一辨。

"夜行车"始于于右任

王正元

前国民政府交通部路政司在 1929 年改组扩充为铁道部。我于 30 年代供职交通部时，曾闻熟悉路政的同事津津乐道于右任 1912 年出任交通部次长时的一桩轶事。

辛亥革命后，南京临时政府成立。孙中山就任临时大总统，并组成内阁，委任各部总长和次长。当时的交通总长汤寿潜，仅于临时政府成立、大总统和各部长官就职时，莅宁一天，以后再未到部视事，部务皆由次长于右任负责。其时，中国邮政、海关、铁路等主权，均旁落在外国人手中。“沪宁铁路”即为英国人把持。于氏接任伊始，为改进交通运输，增加政府收益，乃倡议在沪宁铁路试行“夜行车”，但屡遭英方的拒绝阻挠。于氏不为所动，坚持原议。一日，于约见英方路局“大班”(相当于副局长)，重申试行夜行车一事。英大班仍以耗资大、设备缺、夜间乘客少，将蒙受亏损而予以拒绝。于氏当即表示：“无妨，苟乘客不多，无论亏损多少，悉由我方补偿。反之，若有盈余，应归我方所有。愿立约章，以资信守。”英方无辞以对，遂订约。出乎英人意料，试行夜行车的第一天，乘客即甚为拥挤。随后，夜行收入大获盈余。而英方竟违约不将此盈余交给我方。为此，于再次约见英方，要求履行约章。英方百般狡辩，于遂严辞申斥曰：“铁路试行夜车，双方订有约章在案，亏损既规定由我方补偿，盈利岂可由汝等霸占？如此失信，岂非汝等唯利是图之鬼蜮伎俩！”说毕，即挥手道：“去罢！”洋人只得厚着脸皮悻悻离去。

在那国权旁落外人的年代，于右任的这一举措，谱写出我国铁路史上的光辉一页。

王闿运与袁世凯

程千帆

湘潭王闿运，字壬秋，号湘绮，当清末民初之际，以文章经术冠绝一时，而又滑稽多智，出语涉笔，辄有淳于东方之风，故其遗闻轶事至今犹流传众口，今第取其与袁世凯有关者二三事记之。

王、袁二家故有世谊，湘绮于世凯为丈人行。袁既显贵，湘绮仍以“世兄”称之，世凯亦未如之何也。及辛亥革命，袁逞其权谋，遽窃国柄，然犹未以总统之位为足，遂阴谋复辟，用其长子克定及杨度诸人之计，广招才俊，为拥立计。在诸人策划之下，湘绮遂于甲寅(1914，民国三年)三月入京，就任国史馆馆长职。实则翁于袁之用心，早已洞悉。故于入京驱车过中南海前门时，见新华门榜，乃故诧曰：“何乃题榜曰‘新莽’耶?”盖王莽篡汉，国号曰新，史称新莽，故因而讥之。

先父穆庵先生尝受业于湘绮弟子成都顾印伯先生之门，于湘绮为再传弟子，时旅食天津。及翁抵京，因往肃谒。起居之间，询以史事。翁莞尔而笑曰：“民既无‘国’，何‘史’之有?惟有馆耳。贤契无事可常来坐坐。”寥寥数语，于世凯之沽名钓誉，粉饰太平，以图复辟，固已洞察其心矣。

又世传翁尝撰一联云：

“民犹是也，国犹是也，民国何分南北；

总而言之，统而言之，总统不是东西。”

此联切合当时南北纷争，袁氏窃取国柄之情实，故流传极广。惟闻先君言，翁原作实只有前十六字，其“民国何分南北”、“总统不是东西”十二字，乃浅人妄续。盖原作含蓄，意味无穷，续貂者一加点破，则了无余味矣。

又翁临终作联自挽云：“春秋表未成，幸有佳儿续诗礼；纵横计不就，空余高咏满江山。”足见其亦有功名之心，经世之志，非徒欲以文学传世者，乃平生历游曾国藩、李鸿章、张之洞、陈宝箴诸督抚之门，而终无所遇。袁世凯乃欲以国史馆长之职牢笼之，宜其在职不及一年即拂袖南归。其偶一出山，殆亦佛图澄以石虎为海鸥意也。

冯国璋与袁世凯称帝

涂　森 遗稿　业衍璋 整理

袁世凯既窃据民国总统，复有称帝之意。左右希图幸进者遂以拥戴怂恿之，并于北京成立“筹安会”，以为称帝之准备。时曾通电各省督军,征询意见。江苏督军冯国璋接电,即召集亲信部属在署内石船会商。与会者皆默然不置可否,冯便云:“大总统拟称帝;言私,我与之相交二十余年,不便反对;言公,我等之实力远远不及,难以反对。今暂表同意,俟其称帝不成,再为收拾残局。”因即复电筹安会,略谓:“本人对江苏负责,保无反动。”

旋筹安会又通电各省军政长官, 转饬各县“推举” 民众代表一人 (实际即由各县长指派一人),在各省省会投票,以测验民意。冯即在署内西花园组织会场,场内高搭彩棚,门外则扎成松柏牌楼,届期,各县民众代表纷纷来省投票。场内派有监视员十余人, 皆由督署科员或副官充任。凡各县代表有写反对票者,则由监视员另予票纸,劝令改写赞成票,方许投入票柜。至开柜检票唱票时,自属一致赞成。是时,冯国璋着大礼服,省长齐耀林着长袍马褂,在票柜前台阶上合影。会场布置,亦均分别摄影寄筹安会,以示隆重。

当宣布一致赞成后, 即在署内西花厅开代表大会,由江宁镇守使王廷桢主席,先三呼洪宪万岁。但以事属假造民意,与会者反应冷漠,当主席高呼第一声时,应者仅有三分之一。呼第二声,已寥寥无几。及呼第三声时,竟无一应者。旋经主席提议,谓此次投票,本省各县人民均一致赞成袁大总统称帝,虑及大总统一再谦让,故应上书劝进,请大总统早日登基,以慰舆情;全体当即通过。主席又提请公推起草人员,于是当即推举江阴缪筱珊捉笔。缪随即在袖笼中掏出预拟之文稿,呈交主席。一幕滑稽戏,至此遂告一段落。

不久,袁氏黄袍加身,自称"洪宪皇帝"。冯封一等公,王廷桢亦获子爵位。袁氏称帝后,全国民众一致反对。蔡锷首先在滇誓师讨袁,浙江旋亦宣告独立。江苏吴江,驻有江苏水警第三区第十四、十五两队,与驻防江阴第七十五混成旅,亦相继宣告独立。冯国璋正筹划应付间,接王世珍、段祺瑞、徐世昌、梁士诒联名来电,诘冯"前云江苏方面完全负责,保无反动,今吴江、江阴相继独立,于前言何以自解?"冯阅电大怒,即复电,大意曰:"大总统一再裁我军队,致我防卫乏力,难于周备,今只有尽力而为。就大势而言,大总统宜早日退位。"嗣又接王等来电,略云:

"大总统亦有退意,今你意既与之同,谅有具体措施,尚望告知。"冯竟无所答。是时,四川督军陈宧,向为袁氏心腹,亦通电讨袁。袁氏大为懊恼。于是众叛亲离,骑虎难下。无多时,袁一病而终,称帝合八十有三日。

沙淦书斥袁世凯

蔡麟卿

袁世凯称帝,劝进者有之,默然者有之,起

兵申讨者亦有之。而致书直斥者,则有江苏南通二十七岁之沙淦。其书云:

大总统阁下　敬肃者

共和虽已底成,民国阽危,尚如累卵。财政之困难也,外交之棘手也,党争之剧烈也,民生之凋敝也,在在堪虞。孤行独断,稍一不慎,即足召亡国之祸。……或谓公阳为赞同共和,阴实主张君主。……夫同胞之所以推戴公为大总统者,戴公为民国之忠仆,以真民意而建设真民国也,非以公有君主之资格而推戴也。愿公思之、慎之,勿延缓国会之期,以启五大族同胞之疑,使外人笑我庄严灿烂之民国,仅如昙花一现,即覆没于专制魔手也,民国幸甚,国民幸甚!

沙淦字宝琛,1905 年负笈日本,遇孙中山先生,入同盟会。1911 年回国,积极进行反清革命活动。曾在南京策反新军,为清廷侦知,险遭捕杀。赖新军管带、同盟会会员赵声掩护,得以脱险。辛亥起义后,先至汉阳,参加救护工作,旋赴上海,参与起义。光复后,任陈英士都督府参谋。次年,入中国社会党,为该党骨干。同年 4 月,创办《社会世界》杂志,自任主编。袁氏窃国,沙淦口诛笔伐,多次发表反袁言论,深为袁氏忌恨。

民国二年,沙淦赴江北为讨袁军筹募资金,甫返南通,即遭逮捕。历数日,未一鞫讯,即以"乱党"罪名,判处死刑。同年 8 月 11 日,被害于城北王家坝,年仅二十八岁。遗骸由其父沙树人收葬于家乡李观音堂东北。

1928年5月，烈士亲友沙淦、施述云等集资于狼山建成纪念碑亭，于李观音堂建成烈士墓。碑、墓因战火几度被毁。1985年，南通市人民政府重新修建沙淦碑亭、坟茔，以志纪念。

江南贡院与陈独秀的联想

王芷湘 遗稿　洪任吾 整理

江南贡院，历时六七百年，是明清两朝乡试考场。贡院位于南京夫子庙秦淮河畔，以明远楼为中心，建置宏伟。其范围东起姚家巷，西与夫子庙毗邻，北至建康路，南滨秦淮河，从正门外(今秦淮剧场) 的东西辕门直抵最后一进之衡鉴堂(今市中医院门诊部)。全院官房数百间，考生号舍两万多座，规模之大，除北京外，为各省乡试考场之冠。

贡院大门分左中右三门，中间正门额悬朱红“贡院”二字。二道门分五门，中门上悬康熙御书“天开文运”匾额。第三进门通称“龙门”。除考生外，外人不得入内。再进即“明远楼”。过明远楼，可达“至公堂”及“戒慎堂”。堂后有水池，池上有一石桥，名“飞虹”。飞虹桥为内外之分界，其外为考场，向内为阅卷、发榜重地，内外人员，至此不得逾越半步。

整个贡院之中心在“明远楼”。楼凡三层，居高临下，四面有窗。登楼临眺，全闱一览无余。监临、监试、巡察等官员，届时登楼俯视全场，稽查士子有无来往，执役人等有无传递之弊。楼上高植大旗，夜晚高悬明灯，数里外遥遥可见。明远楼下东西两侧，分南北两闱，排列二万余座考生号舍。此楼因负有引入、发令、警戒之责，故为贡院重心所在。清李笠翁为此楼题联曰：“渠令若霜严，看多士俯伏低徊，群嚣尽息；襟期同月朗，喜此地江山人物，一览无余。”

光绪二十三年 (1897)，安徽怀宁秀才陈独秀，来南京乡试。就在这皇朝选拔人才之地，陈秀才萌发了废科举、反封建的“异志”。陈独秀《实庵自传》回忆说：

> “那一年南京的天气，到了八月中旬还是奇热，……考头场时，看见徐州的一位大胖子，一条大辫子盘在头顶上，全身一丝不挂，脚踏一双破鞋，手里捧着试卷，在如火的长巷中走来走去，走着走着，上下大小脑袋左右摇晃着，拖长着怪声念他那得意的文章，念到最得意处，用力把大腿一拍，翘起大拇指叫道：‘好，今科必中！’……看呆

了一两个钟头，……联想到所有考生的怪现状，由那些怪现状联想到这班动物得了志，国家和人民要如何遭殃；因此又想到所谓抡才大典，简直是隔几年把这班猴子、狗熊搬出来开一次动物展览会；因此又联想到国家一切制度，恐怕都有如此这般的毛病！”

这一时的联想，实在是陈独秀以后走上革命道路的契机。从此以后，陈即弃举业而专事改革与革命，随后成为“五四”新文化运动的主角和中国共产党的创始人之一。

火烧赵家楼第一人

周佚松

1919年的“五四”运动中，爱国学生火烧曹汝霖住宅赵家楼，其领头人是北京师范大学学生匡互生。那时，我是北京女高师附中毕业班的学生，也参加了这一义举。

这年春天，中国代表团在巴黎和会上提出取消“二十一条”，归还山东，取消列强在华特权等要求，遭到拒绝。4月29日巴黎和会竟决定将德国在山东之权利让与日本。消息传来，举国震愤。5月4日，北京各校学生三千余人在天安门前集会，高呼“外争国权，内惩国贼”、“取消二十一条"、"拒绝和约签字"等口号。会后举行示威游行,我们先去了东交民巷,向各外国使馆递交了抗议书,然后便去了赵家楼。曹宅大门紧闭。队伍前面的匡互生一拳砸开了一扇窗户,手上皮破血流。接着,他飞身一跃,跳窗而入。同学们迅即搭起人梯,相继跳入。匡互生从里面拔开大门杠,大家便如潮水一般涌了进去,前前后后寻找曹汝霖算帐。我们高喊:"曹汝霖,卖国贼,不出来就烧死你!"没找到曹,大家气得要命。我亲眼看到,匡互生用火柴点着了室内的蚊帐,另一同学将室外的杂物浇上煤油点着火。赵家楼顿时火起。反动军警立即到场镇压,逮捕学生三十二人。北师大被捕的有匡互生等八人。

匡互生毕业后,从事教育事业,创办了著名的上海立达学园。他认为,学校教育的任务不仅仅是传授知识,而且应该教育学生树立远大理想,做一个于国家民族有用的人。为此,学园开设了"实践道德"课程,由他亲自讲授做人之道。匡互生由于积劳成疾,正当四十二岁壮年时,竟与世长辞。朱自清在悼文中说:"互生最叫我们纪念的,是他做人的态度。"

“五四”运动中的抵制日货

周　尚

“抵制日货”是“五四”运动中一个响亮的口号。当时，中国工业落后，日用品多赖日货。如自来火、雨伞之类，无不来自日本。日货价廉物劣，一用即坏，故取名“东洋货”以蔑视之。但据我的经验，在日本本土和美国出售的日货，却价廉而物坚。一把雨伞，日币一元，合华币七角，可用十余年。美国三十年代的“一角商店”、“二角商店”充斥日货，都很坚固，这明显是日本帝国主义有意以劣货向我国倾销，进行经济侵略。

1919年6月3日至4日，北京学生继5月4日游行示威后，纷纷上街演讲，要求取消“二十一条”，还我青岛，拒签凡尔赛和约，又遭到军阀政府镇压，逮捕学生近千人，激起全国人民的更大愤怒。上海、南京、天津、武汉等城市，工人罢工，商人罢市，学生罢课，支持北京学生爱国运动。史称“六三运动”。

那年我刚十八岁，肄业于上海工部局育才公学。当时，工部局反对我们加入学生运动。育才公学的同学就与工部局展开反复斗争。被开除的学生达四十余人，愤而组织“育才出校学生会”，一面发动全校罢课，一面参加上海学联活动。

上海学联设有调查科，任务是调查、抵制日货。我虽是中学肄业，却也被选为调查科负责人之一。我那时血气方刚，干得极其认真。调查科分几路进行抵制日货活动。一是控制进口咽喉：分别把守海关、火车站、外洋轮船码头等水陆交通要道，不让日货进口。二是彻底清查：分段查抄全市大小商店，查封日货。三是严格检验：对是否日货或以他国商标伪装冒充，加以分辨，决定扣放。四是将扣下的日货付之一炬。

烧毁日货，都在夜间进行。地点是在闸北空地。其时，观者人山人海，情绪激昂。焚烧日货的火势越烧越猛，最后形成一片火海，烟焰冲霄，颇为壮观。同学们抓紧时机进行抵制日货、提倡国货的宣传，这时，喧闹嘈杂的人声便立即安静下来。学生们慷慨陈词：日货如潮涌来，是经济侵略，危害严重，如果任其泛滥，不但中国工厂将纷纷倒闭，失业工人不断增加，财政收入下降，而且，盲目崇洋，看不起自己的国家，丧失民族自尊心和自信心，势必国力削弱，民心涣散，国将不国。如今，祖国已到生死存亡的关头，同胞们赶快行动起来，中国人要用中国货！买国货光荣，用日货可耻！群众听了我们的讲话，不时报以热烈的掌声。此情此景距今已七十多年，仍历历在目，如同昨日。

“五四”运动中的对联

罗奕明

在“五四”运动的反帝反封建斗争中，对联也发挥了一定作用。当时我二十岁，曾收集了许多对联，一直珍藏至今。现抄录数条，略加说明。

5 月 4 日，云集于天安门广场的学生队伍中，有一副“挽”卖国贼曹汝霖、章宗祥的白布对联：

卖国求荣，早知曹瞒遗冢碑无字；

倾心媚外，不期章惇余孽死有头。

曹瞒指曹操小字阿瞒，章惇是北宋奸臣蔡京的同党。联中借古讽今，将曹汝霖、章宗祥比做曹操、章惇。

上海白云观原有“普天同庆”匾额，被改为“普天同愤”，并贴上两副对联：

学生被捕神流泪；

奸臣窃国鬼生悲。

学生含冤，定卜三年不雨；

同胞受辱，可兆六月飞霜。

后联用齐妇含冤和邹衍下狱的典故。齐妇与邹衍都曾蒙冤受屈，后感动上苍，以至三年不雨，六月飞霜。

上海热闹非凡的跑马厅门前，也挂起了巨

幅白布对联：

哪有心情看跑马；

正应筹策补亡羊。

闸北区一家花鸟店的对联，则构思巧妙，引人注目：

三鸟害人，鸦雀鸨；

一群卖国，鹿獐螬。

鸦、雀、鸨，指鸦片、麻将牌、鸨母，即烟、赌、娼三害；鹿、獐、螬，是陆宗舆、章宗祥、曹汝霖三个卖国贼姓氏的谐音。

北洋政府在全国人民的强烈要求下，被迫免去曹、章、陆三人的职务；巴黎和会中国代表拒绝在“凡尔赛和约”上签字，许多商店纷纷换上新联，以示庆贺。其中一联云：

共争青岛归还，同看国贼罢黜；

欢呼学生复课，庆贺商店开门。

“五卅”惨案亲历记

周　尚

“五卅”惨案时，我是上海大夏大学三年级学生，是惨案中的最后一个被捕者。现将所见所闻记述如下。

1925年5月15日，顾正红惨遭日商内外棉第七厂大班元木、川村杀害，激起上海各界人民的无比愤慨。23、24两日，文治大学、上海大学学生上街演讲，声讨日人枪杀我国工人的暴行。六名学生被租界捕房拘捕。27日，在沪高校学生代表会议在同德医专召开，我也出席了这次会议。会议决定，采取印发传单及宣言、为死伤工人募捐、营救被捕学生等措施，推动反帝爱国运动的发展。随后，上海学联决定，各高校学生于5月30日分头到大马路上演讲，声援工人斗争，抗议帝国主义暴行。

大夏大学与日华纱厂毗邻，学生对工人疾苦知之最深，为声援工人斗争，同学们立即响应。5月30日午后，我们二十名同学，举着四面写有“学生演讲队”字样的小旗，从小沙渡路(今西康路)校舍出发，一路游行，二时许，来到闹市区浙江中路与南京东路交叉处的“五云日升楼茶馆”，向楼下一家织补店借了一条长凳，同学们轮流站在上面演讲，声讨日商的暴行，申述学生为死伤工人募捐反遭拘捕的事实。后来，有人送来了“学生被捕”和“打倒帝国主义”等传单，我们就一面演讲，一面散发传单，听讲的群众情绪激昂，义愤填膺。

约半小时后，一个印度巡捕前来干涉，他抓了一个同学，没走几步又把他放了，意图撵我们离开。不久，又来了一个英国“三道头”，后来知道此人即副捕头斯梯温(F.C.Stevens)，他抓走了陈兆其和孙惕（后会审公堂的公告误称为“孙易”)两同学。其他同学怀着“有难同当”的精神，也一起前往捕房。在老闸捕房的甬道里，我们商量，与其一起坐班房，不如一部分人回去继续向群众宣传，另一部分人到各校报信，设法营救被捕同学。

我们几个同学回到日升楼，继续演讲。不久，英捕又来抓走了张鑫长和我两人。其余同学仍跟随在后。一路上，许多学生及群众加入了我们的队伍，到捕房时，已经聚集了二百多名学生、一千五百多名市民。群众在巡捕房门前申讨抗议，要求释放被捕者。

我们进了捕房，即遭值班“三道头”惠尔格斯(S.Willgoss)的强行搜身，还收走了我们的裤带等物。最后强迫我们用右手大拇指捺了手印，就把我们推进了囚室。我注意到，室内已有许多被捕者靠壁而坐，我是最后一个被关进囚室的。我数了数，被囚的共四十九人，我还留下了全部名单。

进囚室不久，忽然听到外面一阵急雨般的枪声，接着又是一阵枪声。不一会，一个中国籍翻译悄悄过来告诉我们：英捕头爱伏生(E.W. Everson)刚才调集通班巡捕二十二人，在捕房门口站成半月形，枪口瞄准人群，由爱捕头用旋轮手枪放一空枪为令，副捕头枭惠尔(Shellswell)以自动手枪首先向人群开枪，接着，众巡捕一齐用马枪开枪，连发两排子弹，共四十四响，当场打死九人，其中学生三人，群众六人，受伤数十人。后来因伤重死于医院的七人。这就是震惊中外的“五卅”惨案。

夜半时，捕房通知各校当局前往保释学生。

被捕者中的四十四人被开释，但在西藏路与南京路交叉处演讲的上海大学的学生梁郁华、蔡鸿立、瞿景白、杨思盛、黄玉聪(即黄儒京)等五人,却不准保释。

“三·一八”惨案亲历记

周俟松

六十多年前，我是北京师范大学四年级学生,曾亲身经历了震惊中外的“三·一八”惨案。

1926年3月18日,北京各界民众在天安门广场召开国民大会，抗议日本帝国主义军舰炮击天津大沽口,要求段祺瑞执政府拒绝日、英、美等八国联合提出的撤除大沽口国防设备的最后通牒。会后,与会学生及各界人士三千多人举行游行,从广场出发,到铁狮子胡同执政府门前请愿。我们来到执政府门口,只见满街军警荷枪实弹,杀气腾腾,如临大敌。学生代表要求段祺瑞出来答话。谁知回答的竟是三声号炮,接着便是一阵阵密集的枪声,顿时,执政府门前尸横血染。然后,军警们便挥舞枪棍向我们扑来。我被枪托打伤了左肩。这时,我看到李大钊老师头和手都负了伤,身上淌着血,但仍镇静地率领同学们从辕门撤出,避免了更大的牺牲。我们回到学校清点人数,发现有些同学负伤,有些同学没有回来。

第二天清早,我们怀着极为悲愤的心情,再到铁狮子胡同寻找失踪的同学。我看到,满地的积雪已经化去,潮湿的地面上,有一摊摊血迹。触目惊心的是发现墙角下有一排薄木棺材。我们终于在一具棺材里找到了北师大同学范士荣的遗体。他被棍棒打得浑身是伤。我们将遗体移回学校,一路上为之痛哭不已。后来,我们把范士荣烈士安葬在原北师大和平门校址的大门前,树碑永志血仇。那天牺牲的还有女高师刘和珍、杨德群等四十七人。另外还有一百五十多人受了重伤。

3 月 20 日, 我们托着血衣再次游行, 高呼"血债要用血还"的口号。这天,正下着大雨。队伍庄严、整齐,没有一个同学离队。两旁夹道声援的群众泣不成声。3 月 23 日, 北京学联等组织,在党的领导下,于北京大学举行"死难者追悼会"。会场上高挂"先烈的血,革命之花"八个大字。李大钊老师在会上沉痛高呼:"对于压迫者,只有反抗! 对于镇压者,只有革命! "

"一二·九"运动亲历记

李为扬

1935 年,日寇魔爪越过长城,伸入华北。中华民族处于生死存亡的危急关头。国民党政府于12月7日决定成立“冀察政务委员会”，以适应日本提出的“华北政权特殊化”的要求。12月9日北平大中学校学生在中国共产党领导下，举行示威游行，以示坚决反对。从此，掀起了全国抗日救国的新高潮。史称“一二·九”运动。当时我在清华大学读二年级，曾亲历了这一运动，略记见闻于后。

12月9日一早，清华、燕京两校学生，冒着凛冽寒风，高呼“反对华北自治”、“停止内战，一致抗日”等口号，从郊外向北平城进发。北平当局闻讯，竟将所有城门关闭，两校学生无法进城，而城内的学生游行队伍，在王府井大街附近，也受到了军警的水龙冲击。这次示威游行，城内外的游行队伍虽然未能会合，但声势浩大，共有六千多名学生参加，在全国产生了巨大影响。这次游行的宣传品《清华大学救国会告全国同胞书》，是四年级学生蒋南翔执笔写成的，其中有一句流传极广的名言：“华北之大，已经安放不得一张平静的书桌了！”它喊出了当时北平学生的共同心声。

“一二·九”游行之后，传闻“冀察政务委员会”将延期在12月16日成立，因此同学们决定在16日组织另一次示威游行。仍由蒋南翔起草《一二·一六北平市大中学生示威宣言》，表达同学们为抗日救国不惜抛头颅洒热血的决心。这一天，我们清华、燕京两校的游行队伍来到宣武门外，发现紧闭的城门下有条缝，女同学陆璀从缝里爬了进去，打开城门，队伍一拥而入。美国记者斯诺恰巧在场，立即举起相机，摄下了这一珍贵的历史镜头。城内外学生汇合起来，约有一万多人。反动当局出动军警，大打出手，动用了水龙、大刀对付学生。有几十名同学受伤，其中包括翁文灏的女儿翁燕娟。但同学们的爱国热情反而更加高涨，有的分队游行，有的聚集群众讲演，散发传单，最后还在前门召开了学生市民大会。

唐文治支持“一二·九”学生运动

陈其昌

1935年，北平爆发了“一二九”学生爱国运动，各地学生闻风响应，“反对华北自治”、“打倒日本帝国主义”等口号响彻云霄。当时我正在无锡国学专修学校二年级读书。无锡学生也纷纷上街游行示威，表示声援。但有些学校当局却借口“读书救国”，阻止学生参加游行，或采取不合作态度。国专校长唐文治先生平时对学生的管理是很严格的，但对学生的爱国活动却是一贯同情支持的，因此，在国专从未有阻挠学生参加爱国运动的事情。

不多几天，事态又有了新的发展。北平、天津学生组织了南下宣传队，到各地宣传抗日。宣传队从南京到达无锡时，国民党政府派了大批宪兵尾随而来，将宣传队围困在无锡映山河中南大戏院内，企图阻止平津学生与无锡学生接触，并设法把他们押送回去。宪兵们头戴钢盔，手执长棍，气势汹汹。这样更激起了无锡学生的愤慨。大家一致要求罢课游行，慰问、声援平津学生。国专几个领头的学生，跑到校长室向唐先生反映了这一情况，并提出学生的要求。唐先生虽已双目失明，但消息还是很灵通的。他似乎已经知道了这些事，并没有问什么，就毫不犹豫地说："好，好，反正上不了课，就暂时停课罢！"接着便让秘书陆景周先生出一布告，以无法上课为由，公开宣布暂时停课。

校方开了绿灯，学生们更是意气风发，斗志昂扬。大家排着长长的队伍，先到无锡师范等校联系，然后汇合起来，浩浩荡荡地来到中南大戏院，声援、慰问平津学生。中南大戏院外，布满了宪兵，个个手提木棍，威势赫赫，但他们自觉理亏，只是用木棍拦阻。于是，国专学生一马当先，冲破包围，进入戏院，终于和平津学生会合。而包围戏院的宪兵，却无可奈何。

《团结御侮宣言》的起草人是谁

仲跻荣

1936年7月15日，沈钧儒、陶行知、章乃器、邹韬奋联名发表《团结御侮的几个基本条件与最低要求》(史称《团结御侮宣言》)。这一著名爱国文件的起草人是谁，说法不一。《陶行知年谱稿》说是“陶行知修改，胡愈之起草的”；周毅《陶行知环行世界录》认为是陶行知与邹韬奋“在灯下研讨、修改”的。四位宣言签署人的说法也不一致。沈钧儒1947年对方与严说：“是由邹韬奋、胡愈之二位先生起草”的；而邹韬奋1944

年在未完成的遗著《患难余生记》中说是由他从香港“亲自带到上海，再和沈钧儒、章乃器及其他救国会诸同志作详尽的研讨，……陶行知先生适因赴美经港，对小册子的内容亦曾参与商讨”。章乃器1967年回忆说是“胡愈之参加了修改的工作，执笔的是我”。陶行知在签署了这篇宣言之后曾记：“团结御侮一文件，由胡愈之先生起草，经过修改，与邹韬奋先生在港先行签字，再持至上海作最后修正，并由沈钧儒、章乃器先生加入签名发表。”

鉴于以上各家对这一宣言起草人的说法不尽一致，我于1983年11月17日冒昧地给胡愈之先生发去一信，恳请释疑。不到一星期，便收到胡先生的亲笔复信，全文如下：

> 仲跻荣先生：
>
> 来信收到。
>
> 承询陶行知文集中，说起一九三六年七月十五日邹韬奋与陶先生等著名文件，是邹陶二位起草，由我执笔修改的。后来由韬奋拿原稿请沈钧儒、章乃器先生修改签名发表。沈、章、邹、陶四先生都是当时救国会的领导人物，而我是救国会的赞助人，所以没有在文上署名。《陶行知文集》（江苏版）这本书我从没有见过。说起草人是“胡适之”，“适”可能是“愈”之误。印刷时未加改正。
>
> 特此奉复，顺致
>
> 敬礼！
>
> 一九八三、十一、二〇日　胡愈之

这封信清楚地说明,《团结御侮宣言》是由邹韬奋、陶行知在香港起草，胡愈之执笔修改的,再由邹韬奋带到上海,经沈钧儒、章乃器修改签名后发表的。

一首激动人心的抗战歌曲

郭孟龙

1937年7月7日，日军在卢沟桥发动侵华战争,遭到中国军队的坚决抵抗。早已驰名全国的二十九军大刀队又奋神威,英勇杀敌,其中尤以十九岁的战士陈永德，以一人一刀，杀敌九名,缴枪十三支,轰动一时。当年7月12日的《世界日报》即以《二十九军大刀杀日贼》的大标题载称:“11日,日军二百余名进攻大王庙,被宋部大刀队迎头痛击,……昨日围攻南苑,大刀队急向日军冲锋，相与肉搏，白刃下处日军头颅落地,遂获大胜。……”

二十九军大刀队的英勇事迹，极大地鼓舞了全国人民的抗日斗志。1937年7月底,上海的一位青年音乐家麦新，得知二十九军英勇杀敌的事迹后,满怀激情,创作了一首抗日歌曲。这首歌曲在里弄中传唱开来后，受到广大群众的热烈欢迎,后来便成为唱遍全国、家喻户晓的抗战名歌——《大刀进行曲》。

麦新姓孙，名培元，又名默心，江苏常熟人。因躲避当局检查其所编辑的一本歌集，化名麦新。时为上海一外国公司职员，受进步思潮影响，业余从事进步歌曲的创作、编辑与歌咏活动。1937年8月8日，“国民救亡歌咏协会”在上海南市文庙举行“成立音乐会”。会前，麦新在文庙前石阶上，指挥一千多自发而来的群众高唱《大刀进行曲》。群众情绪激昂，一遍又一遍地反复演唱，一发而不可收。麦新受到群众的鼓励，心情更加激动，指挥的动作也极为强劲有力，以致指挥棒都断成了两截。他索性扔掉断棒，挥起拳头指挥。群众越唱越激动，不自觉地竟将原谱中的“iili—l”唱成“ii·li—l”，因而更显得激昂、刚劲、勇猛、有力。后来歌曲定稿时，麦新便采用了这一唱法。《大刀进行曲》最初发表时还有副题《献给二十九军大刀队》，其歌词中原来有“二十九军的弟兄们”和“咱们二十九军不是孤军”，后来，在歌词定稿时，麦新又根据各地群众的唱法，将这两句分别改为“全国武装的弟兄们”和“咱们中国军队勇敢前进”，使这首歌曲具有了更广泛的意义。

二十九军以大刀扬威，是有其传统的。冯玉祥将军治军，一向重视体育和武术训练，西北军各部一般都保持了这一传统。二十九军自不例外。特别是在1931年晋东整训时，基于补救劣势装备的考虑，就曾有意识地加强了这一训练。曾有两位著名的武师受聘在军中任教。一位叫尚云祥，山东乐陵尚家村人，一生闯荡南北，击败过不少武林高手,人称“铁脚佛”。清末,曾因单人捕获惯匪康小八,名震京津,辛亥后任北京蒙藏大学武术教员。尚在二十九军中传授“五行刀”刀技。另一位名李尧臣,河北冀县李家庄人,精通刀剑,清末曾做过保镖,在二十九军中传授“无极刀”刀法。二十九军战士在这些武林高手的辅导下,刀艺大进。

1933年的长城抗战中,二十九军在长城各口守军溃败的不利形势下,跑步增援,首战喜峰口,再战罗文峪,用的就是大刀手榴弹,砍下了侵略军的不少脑袋,炸死了不少敌人。捷报传出,举国欢腾。日军受创,惊呼乃“明治建军以来之奇耻”。二十九军大刀队从此饮誉中华,这也是麦新创作《大刀进行曲》的一个背景。

屠城血证之来历

缪　含

余迁居玄武湖畔,适与吴旋同志比邻。今夏,吴为余叙述其历尽艰险,秘密保存日寇南京大屠杀暴行照片之往事,因濡笔记之。

1937年12月,南京沦陷于日寇铁蹄之下,吴旋方十四岁,随家人仓促避乱于宁海路难民区。日军频来搜查,吴旋虽年幼,亦被拉夫至成贤街日军驻处,终日为日人搬运煤炭,偶尔稍懈,日军即以刀刺之,至今其右腹犹留一伤疤,乃虎口余生、横遭暴行之铁证也。

吴旋十八岁时,因父亲病故,生计窘困,不得已至汪伪交通电讯集训队修业, 驻于逸仙桥毘卢寺内。同学罗瑾, 四年前曾任职金陵照相馆,一日军军官以自摄胶卷,命其洗印。罗见所摄照片尽是日军挥刀砍头,挖坑活埋,奸淫妇女之暴行,惨不忍睹,切齿痛恨,乃冒险加印一份共十六张,密存一灰色照相册中,其第一页上绘一刺刀挑心图,下绘鲜血淋漓状,旁书一“耻”字,以志誓雪国耻之意。此相册曾于二三同学中传观,不料,竟遭奸人告密。日军教官气势汹汹,突来搜查,并召集全队学员训话,威胁云:“如查获照片,当处以极刑。”幸而罗瑾事先将照相册密置于该寺厕旁草丛中。后为吴旋无意中发现,经翻阅相册,全是触目惊心之日寇暴行照片,吴旋满腔义愤,遂将相册暗藏于寺内弥勒佛龛下,后又辗转移存他处。罗瑾因涉嫌较重, 屡经查询,矢口否认,终于“失踪”。

1946 年 10 月,富于民族气节的吴旋,将此冒生命危险,保存五年之久的日寇暴行照片,呈交南京市参议会转呈南京审判战犯军事法庭。据闻,当审判日,战犯谷寿夫见此照片,面如死灰,战栗不已。这个万恶的刽子手终于遭到历史的严正惩罚。该照相册及十六张照片原件现保存于南京中国第二历史档案馆。其复制品展览于南京江东门侵华日军南京大屠杀遇难同胞纪念馆,成为日军屠城之血证。

《野兽在江南》

杨方益

1937年8月13日,侵华日军在上海发动大规模军事进攻,不久以后,便侵占我锦绣江南广大地区,到处烧、杀、淫、掠,无恶不作,行同野兽,罪恶累累。余友陈君斯白著有《野兽在江南》一书,记录了这些野兽的罪行。

陈斯白(1899—1980),镇江人。1938年秋奉命去苏皖交界之宜兴、溧阳、高淳、溧水、广德、郎溪等地区作敌后视察。陈君所到之处,但见满目疮痍;所闻皆敌寇灭绝人性之兽行。陈君愤慨之余,选录这些野兽在江南的种种暴行,并记录了江南民众抗击日寇的许多事迹,成《野兽在江南》一书,于1939年10月由《前线日报》社出版发行。此书为32开本,正文132页,分60小节,另有附录6则。在目录与正文之间,并附有"杀敌壮士留影"、"敌寇暴行"等历史照片,弥足珍贵。

该书所记"野兽噬人"的暴行,皆真人真事,有时有地。例如:"活剥人皮":兽军在溧阳,用刺刀将三个农民的头皮剥开, 灌进水银, 两小时后,三张人皮被剥下来。"烧炙活人":在高淳,将县政府一名文书剥光衣服,涂满煤油,把赤热的火灰倒在他身上，直至将其全部埋没，烧炙而死，并将其在旁呼救的老母刺杀。“野兽奸人”：兽军占领郎溪县城后，将三十多名妇女轮奸后杀害。在溧阳戴埠，将十几个50岁以上的老妇奸死。“全村烧杀”：一百多个兽军将溧阳朱巷村包围，先将四十多名壮丁烧死，再用机枪把七十多个村民射杀，最后把村内其余三百多名男女老少，紧闭于屋内全部烧死。在郎溪县城五百多名平民惨遭集体屠杀。还有“纵警犬撕食民众”、“将战俘钉死在城门上”、“将掳去的青壮年逐日抽血，直至虚脱而死”等等。残暴酷虐之极，骇人听闻，令人发指。

该书还记述我江南民众奋起抗暴，“人猎野兽”的英勇事迹。例如：“邢璧贵水阳杀敌”：高淳第一区村民邢璧贵，组织民众自卫队。三十六名队员各执一把木柄大刀，迎战日军三百多人，在水碧桥畔砍杀三十多个敌人。邢及十五名队员在战斗中壮烈牺牲。“沸了的江南”：江南民众为了国家和民族的生存，纷纷揭竿而起，迎战残暴的敌人。有组织的民团、自卫队各县皆有，如高淳有三万多人，溧水有二万多人。群众自发组织的游击队有十三个，达八万多人。他们手执刀矛，随时杀向疯狂的野兽，足见我中华民族是不可侮的。

此书当时在江西上饶出版发行，距今已五十余年，除作者历尽艰辛自藏两本外，社会上已很难见到。陈君生前已将其中一本赠送镇江博物馆。另一本现存我处。特从该书摘录一二，务期世人对血迹斑斑的惨痛历史,不稍淡忘。侵华日军之兽行,铁证如山,更不容抵赖。

郁华判案殉国

王正元

友人徐晓初在上海“孤岛”时期曾供职司法界,承其讲述同事郁华烈士坚持正义立场,维护国格尊严的英勇事迹,现转述如次。

郁华是郁达夫之兄,时在上海孤岛任江苏高等法院第二特区分院刑庭庭长。1939年11月,《申报》记者瞿钺,因在报上发表抗日言论,为汪伪特工总部“76号”之特务刺杀于租界。刺客当场为巡捕抓获,在舆论压力下,租界当局将凶手送交上海特区地方法院审理。一审推事判处凶犯死刑,该凶犯自恃有日伪后台,“上诉”至第二特区分院,遂由郁华终审此案;郁华为人刚正不阿,疾恶如仇,曾参与营救过被国民党当局逮捕的廖承志及其他进步人士。郁接案后,接连收到汉奸、特务的恫吓信件和电话。其中一信尚附有“图画”两幅,一图绘被杀者挣扎于血泊之中,一图绘灿烂黄金与乌纱帽,并注称:“何去何从,听凭自择。”另有一信明白宣称:“你若胆敢不予改判,我们即判你死刑。”开庭之日,汉奸打手、流氓特务,麇集法庭内外,且个个挥拳捋袖,

气势汹汹，公然以行凶相威逼。旁听市民，无不为之担忧。郁华升座，目不稍瞬，读完起诉状后，提笔欲判，在此紧急时刻，特务流氓自四周大吹口哨，鼓噪不休。郁泰然自若，高声宣布终审判决："维持原判，死刑！"特务喧闹益剧，郁毫无惧色，徐步退庭。

日伪凶手终被绳之以法，"76号"恼羞成怒，遂决定暗杀郁华。郁当时住在法租界，每日清晨例乘自备人力车上班，并顺道送其六岁幼子上学。瞿案判决次日晨，郁携子乘车至威海卫路智仁勇女中附近，特务忽自四周窜出，对郁连发数枪。车夫惊仆，车翻，幼子摔出丈许，幸未受伤，而郁则已中弹倒在血泊中。及妻女赶至，已无救。

1947年，郁氏家乡浙江富阳人民为郁华营建"血衣冢"，郭沫若为撰志铭，又于鹳山建"双烈亭"，以纪念郁华及其弟郁达夫，茅盾为题"双松挺秀"匾额。解放后，上海市人民政府于1952年追认郁华为革命烈士。

骆何民烈士在狱中

骆根清

1947年7月21日，先兄骆何民因《文萃》一案，在上海兆丰别墅家中，和陈子涛一起，被国民党中统特务逮捕,囚进亚尔培路(今陕西南路)二号中统上海特务机关。这是何民第七次被捕。何民在这个魔窟中,受到多种酷刑,使他两眼凹陷,面白如纸。但他“无比坚定,英勇顽强”。连审问他的特务苏麟阁(已被镇压)也向人哀叹:“我挖空心思,软硬兼施,却毫无办法使他上钩。”一次,何民托人秘密带出一张纸条给他爱人费枚华说:“他们可能传讯你,不要害怕,说话清楚点。”敌人曾妄图利用何民的夫妻之情诱使他投降,便让他和枚华见面。何民从牢房里缓慢地走出来,脚踝因受刑有明显伤痕,他却说:“里面蚊虫很多,抓破了皮,涂了些红药水。”临别时,他说:“枚华,死并不可怕,只是对不起你,今后只好靠你努力了。望你好好抚育安仪,告诉她,爸爸希望她做个好人。”

在牢房里,何民把难友们组织起来,与敌人进行斗争。在经济上,他们实行“共产”,将难友们的钱和食物集中起来,交给一位同志统一管理使用;大家还轮流负责室内的清洁卫生,用旧报纸把囚室的墙壁糊起来,既装饰了环境,又让大家能看到报纸,使生活很有秩序。何民自己负责“外交”,出面与看守警卫、送饭师傅打交道。针对有些人在审讯中乱写供词,何民对难友们说:“第一要赖掉一切,受点刑没什么关系,我们起码要挣一个人格,至少,到外面去,不会脸红,不会对不起朋友。”

1948年4月,何民被转押到南京瞻园路宪兵司令部。我大哥从上海来南京通知我,并找到

在宪兵司令部的亲戚何某,带领我去探监。何叫我以堂弟的身份每周去探监一次。因何民是政治犯,不准接见,只能通过看守转交点衣物、食品。一次,何民托看守转交给我一本破旧的英文字典。起先我并不在意,就放在家中。后来突然想起他曾告诉过我,1931年他在上海坐牢时,就利用英文字典、外文书刊与外界联系过。于是我赶紧找出字典翻检,果然发现在许多字下面都划有一道铅笔印子。我将这些字按顺序连接起来,就成了一句句的话。原来他要我换一本新的英文字典和英文书报给他。此后,我就如法炮制,把家庭和外界的一些情况传递给他。这样,我们就建立了一条秘密通讯渠道。淮海战役后,国民党对政治犯的管束更加严厉,不准再送书报杂志,我们的这条通讯渠道也就断绝了。

在瞻园路的牢房里,何民被关押在中弄的一间囚室,受尽酷刑,身体衰弱不堪。但他却是最爱说话的一个,他与难友们谈印刷生意,和大家一起猜谜语、说笑话,并将我送去的报刊给大家看。他说:"坐牢不仅能锻炼革命意志,也是充实革命本领的好地方。"连看守也哀叹说:"自从上海犯人进来,牢房简直就变成了大学校。"这年11月,南京进行大逮捕,关进了不少记者和学生。何民曾对他们说:"'狱'字是两条狗看着'言',不许人讲话的地方。"示意他们说话要注意,提防混在犯人中的特务。他还用牙刷柄在墙上挖了一个小洞,让难友们利用它来传递纸条。

1948年12月27日,何民和陈子涛、卢志英等三人(即“文萃”三烈士)被集中到一间牢房。何民看出敌人要下毒手,便写了遗书,交给同狱的一位姓孔的女医生,请她出狱后转交给费枚华。遗书中写道:

> 枚华,永别了,你不要为我悲哀,多回忆我对你不好的地方,忘记我,好好照料安安,叫她不要和我所恨的人妥协!

27日深夜,何民和子涛同时被残酷的敌人用倒上麻醉药的毛巾塞在嘴里,然后活埋在雨花台东南侧宝林寺后的山脚下。何民牺牲时,才三十四岁。

盐阜区抗日阵亡将士纪念塔

何冰生 遗稿　业衍璋 整理

民国三十二年(1943)9 月 10 日,盐阜区士绅民众建塔于阜宁县芦蒲村，纪念新四军抗日阵亡将士。塔顶屹立武装战士铁铸像一尊。在大理石纪念塔上,刻有一千八百九十名烈士名单,其中有三师参谋长彭雄,八旅旅长田守尧,华中鲁艺学校教务长丘东平，新安旅行团团长张平等团以上干部四十余名。党、政、军领导干部为纪念塔题字。刘少奇题:“浩气长存”;陈毅题写

塔名:"国民革命军新编第四军盐阜区抗日阵亡将士纪念塔　　蜀北阵毅沐手敬书。"参议员杨芷江撰写塔铭,铭文如次:

盐阜区抗日阵亡将士纪念塔铭　有序

民国癸未春,敌寇以数万兵力扫荡我盐阜区。铁蹄所至,村市为墟,据点成丛,刁斗相应,而我英勇新四军部队运动于网罗之中,艰苦支持,有难言者,乃能应付有方,整饬行列,伺机反击,义不回顾,卒将大小据点摧毁十余处。其中骇人耳目策立奇勋者,厥有三役焉:一曰单港之役,二曰陈集之役,三曰八滩之役。其争战之激烈,牺牲之重大,洵有可歌可泣者矣。然此三役,咸为新四军第三师第八旅之功。若分析言之,则单港之役,第二十二团任之也,陈集之役,第二十三团任之也,八滩之役,第二十四团任之也。三团战功,后先辉映,光荣历史,阅久弥彰。本区各界人士为上慰忠魂,下励来者,爰公建烈士塔,以表扬之。塔成,征文于余,余为之铭曰:

癸未仲春,敌寇肆虐,
纵横蹂躏,夷我城郭。
广置据点,密似网罗,
我军神勇,穿织如梭。
伺暇蹈隙,乘机观变,
倏现倏隐,闪烁如电。
或避其锋,或摧其坚,
视宜而动,所向无前。

单港首试，猛如乳虎，
斩将搴旗，光辉千古。
陈集继作，制胜出奇，
聚敌歼灭，靡有孑遗。
八滩虽微，地居孔道，
扼我咽吭，浴血申讨。
凡兹三役，烈烈轰轰，
夺敌之气，成我之功。
呜呼烈士，作鬼犹雄，
名垂金石，并塔永荣。
瞻怀凭吊，孰不动容，
视伊懦怯，愧恧其终。

纪念塔竣工之后，于9月25日举行落成典礼，同时召开追悼大会。黄克诚同志以盐阜区参议会议长身份出席并恭读祭文。

1948年，纪念塔曾遭炮击，上半部因之毁塌。1959年，又依原式样重建。

陈毅同志赞民歌

王亚梅

1941年冬，苏中抗日根据地四分区开展“织土布，穿土布”的群众运动，运动中涌现出许多以纺纱织布为题材，宣传鼓动抗战的民歌。我搜集了四百多首，编成一册。分区政治部主任陈同生同志看了，很感兴趣。次年3月，陈毅同志到分区检查工作，陈同生在汇报时，提到我搜集民歌一事，陈老总便要陈同生通知我，把搜集的民歌送给他看看。

见了陈老总，我说，“《诗经》的头一篇就是爱情诗，我这个本子里也有爱情诗。有一篇是个年轻妻子写给参军丈夫的。”我翻出那首《纺车儿，摇呀摇》，陈老总边看边念：

纺车儿，摇呀摇，摇了纱儿编线儿，编了线儿做鞋儿，做了鞋儿交哥儿，哥儿穿了来劲儿。

纺车儿，摇呀摇，摇了纱儿织布儿，织了布儿做袄儿，做了袄儿送哥儿，哥儿穿暖打仗儿。……

陈老总念完，哈哈大笑说：“好诗！好诗！”接着又和我开玩笑说：“人家丈夫有妻子送爱情诗，有没有姑娘给你写爱情诗？”我说：“有位姑娘给我做了双军鞋，鞋里放了首民歌，我猜不透是不是爱情诗。”

陈老总雅兴大发，说：“你把姑娘写的诗拿给我拜读拜读，我帮你猜猜看。”我便把姑娘写的《做军鞋》从衣袋里拿出来。陈老总念道：

月儿圆圆照阶台，我在阶前做军鞋，针针都为英雄汉，笑在眉头喜在怀。

月儿圆圆照阶台，我在阶前做军鞋，送给哥哥穿上它，多打胜仗我光彩。

陈老总念完了，又哈哈大笑说：“这是一首道道地地的爱情诗！”因我那年才二十出头，陈老总又诚挚地对我说:“你年纪还轻，到而立之年成家,也不迟嘛!”随后,陈老总又说:“我青年时代就喜欢民歌。民歌是中国最早最好的诗,孔老夫子编的《诗经》里的《国风》,就全是民歌嘛!佛家有佛经,医家、音乐家、茶家,都有经,民歌被编进了《诗经》,而且是《诗经》里最精华的部分,民歌确实了不起嘛!”

陈老总的一席谈,我至今记忆犹新。

会见邹韬奋的回忆

王亚梅

1942年12月28日下午，邹韬奋同志在苏中行政公署副主任兼文教处长刘季平的陪同下,骑马抵达南通县十总店,在一个农民家里住下来，准备第二天上午应邀对苏中四分区学联作一次演讲。这天傍晚,我代表学联筹委会前往迎接。

韬奋同志和蔼可亲。他谦虚地说:“感谢你们的盛情。我到苏中不久,学到了很多新东西。我是来向大家学习的。”韬奋同志是11月下旬从上海来解放区的,一个多月中,他对苏中解放区的抗日斗争、民主政治、发展生产、减租减息等工作进行了广泛的考察。他在一篇文章里曾说:“此次在敌后视察研究，目击人民的伟大斗争,使我更看到新中国光明的未来。”

我考虑到韬奋同志奔波了一天,一定很劳累,在说明来意后就向他们告辞。但韬奋同志很热情,示意刘季平要我留下谈谈。

季平同志介绍说:“这次韬奋同志从上海到苏中来,一路上经历了不少风险。”韬奋同志笑笑说:“我经历过许多风险,一直挺过来了。在风险面前做一个胜利者,是一种最好的人生享受。”这几句话,我一直记得特别牢。

季平同志还向我介绍,韬奋同志在苏中考察时,跟随部队行动,过着游击生活。每次都是夜行军,近的一二十里,远的六七十里,有时行军到后半夜,有时到拂晓。这期间,他一日三餐都是蔬菜淡饭,偶尔才加一小碟炒鸡蛋。那时韬奋同志正患中耳炎,过着这样的游击生活,是比较艰苦的。但韬奋同志却一直显得很愉快。

谈到生活,韬奋同志说:“在苏中,我已经生活得很好了。前些时候,我经过东江纵队游击区,常常在两边都是稻田的田埂上走夜路。由于眼睛不好,分不清路和田,老是滑交。到了苏中,管文蔚司令员给我配备了一匹好马,骑马参加夜行军,我已经可以毫无顾虑地跟着队伍走了。”记得他说到这里时笑了,并加重语气说:“只有能吃苦的人才能找到真理和光明,我现在已经真正找到真理和光明的新世界了。”

罗炳辉将军爱民一例

戴石明

1941年夏末，罗炳辉将军率部至江苏泗阳，师部驻扎距县城众兴镇数十里之某村。驻下后，当即叫来民运科长，嘱其准备天晚后照例召开村民座谈会，以了解当地生产和群众生活情况。将军常曰："不如此，则有如瞽者、聋者，焉能军民如鱼水乎？"

是晚，星月皎洁，清风徐来，将军着白衬衫，持芭蕉扇，缓步至村中心打谷场。见来开会者，只寥寥数人，遂命部下至各家催唤。许久，又陆续来十余人，多为妇女，另有二三老叟。会上，问及夏季收成及生活情况，妇女但低头搓麻捻线，并无一语，老叟勉强答一两句，便点火、抽旱烟，再无话说。会议冷落，草草而散。

将军回到住所，独坐窗前，默然良久。回顾见副官在侧，便问："今晚如此冷落，何故？"副官漫应曰："莫非群众觉悟不高，对我不甚了解？"将军摇首曰："此地非新区，政权已建一年有余，如何不了解？"说毕，即于室内来回踱步。警卫员来请沐浴，不应，命唤民运科长。须臾，科长到。将军布置，明日抽调学兵连干部及部分学兵，分至各家，边劳动，边访问，深入了解该村情况及群众思想。

次日晚，将军逐一听取汇报。方知夏季征收公粮时，该区某干部违反政策，随意多征，且有强迫命令等行为。群众敢怒不敢言，故不愿前来开会。将军怫然变色，连夜命人去区委，通知负责征粮的干部，明晨即来师部。

次日近午，区干部方来，系一二十余岁青年，着崭新蓝制服，留发及耳，光可鉴人。将军命坐。问及征粮事，青年挺胸扬眉，朗声曰："余负责这一带征粮工作，完成任务既好且速，已得表扬多矣！"便取出小本本汇报，滔滔不绝。问及群众生活情况，青年笑曰："余本地人，对情况了如指掌。此间百姓生活极好，衣温食饱，皆党与政府之功也。"

将军拍案而起，命民运科长将昨日调查之材料，逐一念与他听。该干部初漫不在意，继而面有惶愧之色，待念及多征粮之具体数字及由此而造成之群众缺粮困苦情况，不由瞠目结舌，汗涔涔下矣。将军面色严峻，厉声曰："人民供汝衣食，使为干部，不能为民办事，与民解忧，反坑害百姓，要汝等干部何用？"该干部面红耳赤，俯首无言。令速去，如实向区长交代，立即退还多征之粮。彼诺诺连声而退。

不数日，区领导驱车来退粮。打谷场上，人马喧腾，欢声四起。区长、书记亲自掌秤，战士、百姓挥汗背挑运送。将军回顾副官，笑曰："昨日清冷，今朝欢闹，岂群众觉悟不高耶？"副官亦笑，指粮袋曰："赖将军为民请命耳。"

忽一老妇拄竹杖至前，注视将军良久，合十胸前，喃喃谢曰：“青天，青天，真……真是青天!”战士、百姓俱笑。由是，“罗青天”之名传遍一方矣!

张云逸将军的“护苗牌”

戴石明

抗战期间，张云逸同志任新四军副军长。将军敦厚朴实，平易近人，对战士、群众极其体贴关心。战士有病，每亲至探视，嘘寒问暖。群众生病，亦必嘱医务人员上门诊治。人称“老妈妈”，以其平易慈祥若慈母也。

1942年，新四军军部驻盱眙县黄花塘，建有简易房数十间。其伙房前有麦田一片。清明节后，麦苗返青，长势日旺。战士至伙房就餐，须绕道埂上。有偷懒者，便穿田踏苗而过。将军遂嘱警卫排长，令对战士进行教育。经学习，踏麦苗者绝。排长即作汇报，将军甚喜。

十数日后，又有个别人抄近路打开水。一日晚饭后，将军于黄花塘畔散步，遥见一战士提壶自伙房出，径直穿田而去。适警卫排长也来塘边，将军告之，便欲去查问。将军阻之。排长恼曰：“才几日，又犯矣！”将军笑曰：“思想问题，思一劳而永逸，岂可得耶？吾当设一卫兵，为麦苗站岗。”遂径至伙房，于老司务长处寻来笔砚及一块木牌，书大字两行于牌上，曰：“爱护麦苗，关心群众。”又于灶房寻得铁锹一把，与排长同至麦田，笑曰：“于此设防，若何？”

排长挖土插牌。老司务长亦随来，立一侧，端详许久，忽鼓掌笑曰：“昔相府门前有下马石，军民人等须于石前下马，以扬官家之威。今首长立‘护苗牌’，保护群众利益，真乃彼一朝、此一朝也！”将军大笑，方欲去，见路边一小树苗，倾斜欲倒，便问：“此非清明节前所栽者乎？因何若此？”司务长曰：“苗新栽，根未牢，又连日大风故也。”将军听罢，若有所思，顾排长曰：“此言可谓一语中的！”排长尚未解其意，将军叹息曰：“水有源，树有根。为人民服务乃我军之根本。麦苗之被踏，盖头脑中为民之根苗不牢耳。”便扶正树苗，令铲土壅根，踏土使实。树牌既毕，时已暮色苍茫。将军等信步来归，晚风骤起，炊烟飘摇，麦田碧浪接天。风中，小树苗与护苗牌，相与挺立。自护苗牌立后，穿田者遂绝迹。

马相伯毁家兴学

杨方益

马相伯是中国近代教育的拓荒者，也是著名的“爱国老人”。他曾说：“欲革命救国，必自研究近代科学始，欲研究近代科学，必自通其语言文字始。有欲通外国语言文字，以研究近代科学，而为革命救国之准备者，请归我！”他自十二岁就读于徐汇公学，同时助教初级班国文。其后，学习并精通了法、意、拉丁、希腊等文字。他不仅研究中国古代经史，学习西方哲学、神学，还研究天文、数学等，并有译著数百卷。他除初期担任教会职务外，还担任过公学校长、教会数理编撰；又曾从政入李鸿章幕，任驻日本国领事、使馆参赞，派驻朝鲜襄助新政，赴美洽谈借款，赴欧考察，先后逗留伦敦、巴黎、罗马等地。其知识之广博，经验之丰富，实非一般学者所能企及，故当时与章太炎并称"国之二老"。而学者名流，如梁启超、蔡元培、张元济、汪康年等数十人，均与之过从甚密，其中一些人还跟他学过拉丁文，这时，他已年过花甲。

1900年，八国联军攻陷北京，马老痛心之余，本"自强之道，以作育人才为本；求才之道，尤以设立学堂为先"之宗旨，欲借教会之力，创办新式大学。遂毅然将松江、青浦两地祖遗三千亩良田捐于教会名下，以为办学基金。但教会受产后并未立即办学。1903年，马老以原捐祖产，假地天主教徐家汇天文台，创办震旦学院，自任监院(相当于校长)。这是中国私立大学之嚆矢。此后，震旦在卢家湾购地建筑校舍时，他又捐出价值十余万两白银的地产八处，现银四万元。前后所捐，几为马老全部家产。但马老生前从不愿谈及此事，直到1949年中华人民共和国成立后，在接收有关档案时，人们看到马老的亲笔"献据"及捐产"笔录"后，才了解马老毁家兴学的具体情况。

马老借教会名义办学，但并不依附教会，也不允许在学校教授教理教义，而且还招收许多革命青年如于右任、邵力子、马君武等，引起教会方面的不满和嫉恨。1905年，教会借口马老生病不能视事，另派一法籍人士主持院务，尽改马

老所订章程。学生极为愤慨，除两人外全部签字退学。马老征得旧交两江总督周馥的援助，拨给学校新址及二万两白银，另建“复旦公学”。新校以“恢复震旦，复兴中华”之意取名，后改名复旦大学。

唐文治办学文理并重

黄汉文

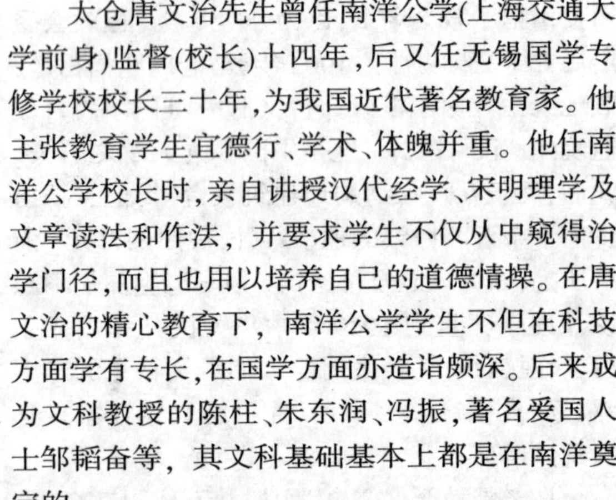

太仓唐文治先生曾任南洋公学(上海交通大学前身)监督(校长)十四年，后又任无锡国学专修学校校长三十年，为我国近代著名教育家。他主张教育学生宜德行、学术、体魄并重。他任南洋公学校长时，亲自讲授汉代经学、宋明理学及文章读法和作法，并要求学生不仅从中窥得治学门径，而且也用以培养自己的道德情操。在唐文治的精心教育下，南洋公学学生不但在科技方面学有专长，在国学方面亦造诣颇深。后来成为文科教授的陈柱、朱东润、冯振，著名爱国人士邹韬奋等，其文科基础基本上都是在南洋奠定的。

无锡国学专修学校是一所专门学习研究中国古代文化的高等学校。在唐先生的主持下，学生不但要精读基本的古籍，还要掌握新的治学方法。学界名流如陈石遗、钱基博、顾实、吕思勉、周予同、周谷城、张世禄、吴世昌及前期校友王蘧常、钱仲联、魏建猷等都曾到该校任教。在课程设置方面，曾开设逻辑学、经济学、教育学、心理学等社会科学课程，还开设了世界史、世界地理、欧亚地理、自然地理、地图绘制法等课程。英语课则由许国璋、张仲礼等任教。

唐文治在清末曾兼任太仓州立中学监督，20年代又任私立无锡中学校长十年，并定期到校讲课，不领薪给。抗战期间，无锡国专受嘉定高介人的委托，附设高氏初级中学，招收清寒的小学毕业生免费上学。唐先生兼任校长。他宣布办学的原则是：国文课必须加强，数、理、化和英语等课程也应同样重视。所聘教师必须学识丰富，教导有方，尤足为学生表率者。

解放后，华东师范大学校长孟宪承(南洋公学校友)，副校长廖世承(太仓州立中学校友)，都是唐文治的学生。有一次，两人谈起唐先生抗战时期的往事，廖世承说："老师坚持民族气节，敦品励学，人皆知之。至于他的办学文理并重，办理工科学校时，重视文科教学，办文科学校时，不薄理科，非熟悉者不能尽知。"孟宪承听到这里，频频点头。

唐文治办国专与章太炎讲小学

黄汉文

抗战前，江苏研究国学之学校，除南京、苏州各高校外，有唐文治先生主持之无锡国学专修学校、章太炎先生主持之章氏国学讲习会。两位先生于民国初年即有“国学大师”之誉，唐先生汉宋兼采，稍偏于宋学，章先生则以朴学见长。其治学之宗尚、办学之方法，虽略有异同，然倡导研讨国学、弘扬民族文化则一。若论其私交，亦甚笃焉。

唐先生办学，除注重通常之课堂教学外，还经常邀请校外专家来校讲学，保送优秀学生外出听课。国专初创时，曾保送王蘧常、唐兰、吴其昌等六人到苏州从曹元弼学习《仪礼》，后又增派了钱仲联。邀请校外专家到校讲授课程，则有蒙文通之今文学及佛学，陈中凡之新文学，其中尤以章太炎之学术讲座为最著。

1933年，章先生应唐先生之邀，来无锡国专讲学一周。开始几天，大礼堂座无虚席，除本校学生外，还有不少校外人士慕名前来听课。后来内容愈讲愈深，校外人士便逐渐减少。上课时，太炎先生由弟子数人陪同：有的作记录，以便整理后印发讲义；有的轮流代先生作板书。先生边讲边抽烟，课不停讲，烟不离口，一个下午可抽五十支“茄立克”牌香烟。讲至得意处，偶或误将粉笔当作香烟放在嘴边。先生操余杭方言，又因缺齿病鼻，所讲不易听懂。其从弟章松龄正在国专就读，课后常为同学演述其精要生动处。

唐先生征得太炎先生同意后，还选派高年级学生前往苏州章氏国学讲习会听课，每周两天。太炎先生热心辅导，学生多有所获。1935年某日课后，听讲者已经散去，先生闲立庭中，章松龄、沈熙乾等三人趋前问业，先生娓娓而谈，历数小时不倦。所谈多给人启迪。如论读“经”，当以《尔雅》为本；论“明七子”，其文学秦汉，因不懂训诂，弄得荆棘满纸；有明诗文俱能高古，得前人神理者，惟松江陈卧子一人耳。谈及桐城派，先生认为，初学作文者如认真研习，当有收获，虽易落入窠臼，仍不失为习文之阶梯。

唐文治先生七十岁时，交通大学、无锡国专的校友捐资在太湖之滨建“茹经堂”，作为老师养颐之所。太炎先生赠联曰：

光风霁月之怀，何止吞三万顷；

鹿洞鹅湖而后，于今又五百年。

余杭大师亲炙记

涂　复

1934年秋，国学大师余杭章太炎先生在苏州定居，寓所在公园路旁锦帆路南首，地基宽敞，交通便利，章氏国学讲习会就设在这里。各地闻风来学者，接踵骈肩而至。复这时在九江同文中学任教，不能离开，翌年9月又考入南京金陵大学国学研究班，从蕲春黄季刚先生攻读传统语言学，以树立根基。蕲春师不幸以重阳遇疾仙逝，心丧之余，遂以1936年2月至苏州章氏国学讲习会继续深造。介绍我叩见余杭大师的为同门孙鹰若学长。大师知为蕲春门人，欢然延见，并垂问季刚师身后情况，意甚关切。又以讲习会所办《制言》半月刊，急需人手，遂命复专任校对工作。事虽繁重，意甚乐之。

大师每周讲课两次，每次半天，中间不休息。讲课时，自带白金龙香烟一听，火柴一盒，粉笔数支，侃侃而谈，不假思索；至精辟处，听者无不解颐。我最初听讲《尚书》，原以为此书诘屈聱牙，不易贯通，经大师逐字比核疏解，遂如同白话，疑义顿释。此时大师还写有《太史公古文尚书说》、《古文尚书拾遗》二书，以辅助讲课，收到很好的效果。复读《尚书·君奭》“咸刘厥敌”句，

《伪孔传》释为“皆杀其敌”,“刘”为“杀”训,而《说文》未收“刘”字,相承以“镏”为之。段玉裁《说文解字注》谓“镏”从田无义,改篆为从刀,学者嫌其专辄。后见洛阳出土《三体石经》“劉”字,偏旁从“又”,义取扑杀,因推知镏下从田,当为从“⊕”(番、𠂔之变体,义为兽足),为兽爪攫杀人也。刘字从刀之义易明,从又从⊕,义亦相承,《石经》劉篆,堪称一字千金矣。文成后,大师亲为点定,命付《制言》刊出。其奖掖后生类如此。

《尚书》讲毕,接讲《说文部首》。着重讲字体演变,语源由来,复已撰为《蓟汉大师说文讲记》,刊载于《制言》。《说文》“爻”训六爻头交,大师谓此非本义,当像淆乱之形。复循是求之,确知物之杂乱者,其始盖取象于人发之不理,《说文》之发,古文作颂是也。又《尔雅》薚为海藻,郭注:“如乱发,生海中”,亦以薚字从爻,故有乱义矣。又“震”字籀文,左右从两爻,王筠谓:“籀文从爻者,霹雳所震,物被其虐,离披散乱之状也。”因撰为《释爻字语源》一文,大师谓前撰《文始》,未及此义,可供采择也。

国学讲习会,规定每周由大师主讲专书,此外并请王小徐、蒋竹庄、沈瓞民先生任特别讲师,讲授专题。其他担任讲师者,有朱希祖、汪东、马宗芗、马宗霍、王謇、王乘六、诸祖耿、潘承弼、金毓黻、孙世扬、潘重规、黄焯等,皆大师门下弟子及再传弟子也。复于此时因得广交师友,多方请益,为日后专治乾嘉以来朴学家著作奠

定基础焉。

大师体质素弱，兼以讲课撰述，日益劳累，至本年6月14日，因鼻菌医治无效，溘然长逝，春秋六十有八。一代大师，长辞人间，国学旷绝，哀痛曷极！复此时与沈延国等人合编《太炎先生著述目录初稿》一帙，为日后编定《章太炎全集》之依据，俾垂久远焉。

忆黄季刚先生

涂　复

1929年，余就学金陵大学，从蕲春黄季刚先生问业。先生早岁从事革命，创“孝义会”于乡里。奔走大江南北，为清廷所缉捕，屡濒于危。民国以后，执教南北各大学，以传授中国文化学术为职志。先生历年所开课程，经史文学，无不擅长，而尤精于小学，以古音学著称于世。尝谓治小学须读十书，依时代为次：一、《尔雅》；二、《小尔雅》；三、《方言》；四、《说文》；五、《释名》；六、《广雅》；七、《玉篇》；八、《广韵》；九、《集韵》；十、《类篇》。十书中以前六种为小学必要之书，昔人诠释，皆可用为研读之资。先生早年所撰《说文略说》、《尔雅略说》、《音韵略说》等文，皆为初学入门之书，深入浅出，沾溉无既。先生遗著则有台湾省石门图书公司影印《黄季刚先生遗书》十四大册，收先生手批(过录)《说文》、《尔雅》、手批《文始》等书，并有手批《古韵谱稿》、《重定唐韵考》两种。1985年，武汉大学为纪念黄先生逝世五十周年，出版《黄侃声韵学未刊稿》十三种，余为之前言，于先生允为后学之师范矣，备致赞誉。

先生讲课，时时称引余杭章太炎先生论学诸说，以为准绳。章氏指示青年必读二十一书，先生以为尚有未备，增益为二十五书。这二十五书是：经学十五书，为十三经加《国语》、《大戴礼记》；史学四书，为《史记》、《汉书》、《通典》、《资治通鉴》；子部二书，为《庄子》、《荀子》；集部二书，为《文选》、《文心雕龙》；还有小学二书，为《说文》、《广韵》。以上二十五书，包括中国四部中最重要的典籍，可以囊括一切，也是治各门学问的根柢。当时社会上盛行梁启超、胡适开列的《一个最低限度的书目》，列书一二百种，先生认为泛滥不得要领，没有揭示出重点，故提出二十五书以纠正此偏向。

先生谓一切文辞学术，皆以章句为始基。讲授《文心雕龙》课，特别重视《章句》一篇，先生写的《札记》，对这篇尤为详明。尝谓王先谦《汉书补注》，不知何人为之圈断，每页竟错至五六处之多，此即不通小学之过。杨树达先生撰《古书句读释例》，引用先生手批《史记》、《汉书》诸例，皆极精深。

“九一八”事变后，日本侵略军加紧进攻，先生忧国颠危,心情十分沉重。每当上课时,先生面对金大后侧日本领事馆所悬“太阳旗”,不禁义形于色,语甚愤激。随即为诸生讲授《诗·苕之华》一篇,至毛传“治日少而乱日多”一语,即凄怆哽咽,听者无不动容。

1935年9月, 余再度考入金陵大学国学研究班深造。先生以时局危急,告诫其弟子当时时以国家民族为念,顾黄之业绩可为师法。讵知运厄重阳,先生竟以忧国病逝。山颓木坏,哀痛曷极,呜呼伤哉!

陶行知《锄头歌》创作纪实

邵仲香

手把(个)锄头锄野草,锄去野草好长苗。
五千年古国要出头,锄头底下有自由。
天生了孙公做救星,唤醒锄头来革命。
革命的成功靠锄头,锄头锄头要奋斗。

这是陶行知先生写的《锄头歌》。其歌词淳朴,曲调活泼,富于民歌风味。这首歌写成后很快在群众中流传开来, 以后就把它定为晓庄师范校歌。当它传到金陵大学农学院,又被定为该院院歌。不久便传遍神州大地。后来,还灌制成唱片,传播海外,风靡一时。说起这首歌的由来,还有一段有趣的故事。

晓庄师范每当周末，都要召开全校生活会议，讨论一周的工作、生活等问题。会后，还有余兴节目，由到会者互相推举表演。我那时是学校的农事指导员。记得在1927年11月9日的生活会上，陶先生提名要我唱歌。我无法推辞，想起了以前在金陵大学农学院推广棉花新品种时，曾写过一首作为宣传用的秧歌调《植棉歌》。当时我向大家要求："我唱的是一首自编的《植棉歌》，但要请陶校长和大家跟着帮腔，和唱'依呀嗨！呀嗬嗨！'"接着我就说明歌词，示范曲调，开始演唱。陶先生果然带头帮腔，大家也跟着应和，真是兴高采烈。《植棉歌》分四节八句，歌词是：

我人生活三要素，第一穿衣廉耻顾。
衣服原料皮、绸、棉，质暖轻松棉价廉。
乌江棉胎有"卫花"，"爱字"美棉能纺纱。
金陵大学农林科，今天特唱《植棉歌》。

唱毕，立刻引起陶先生的极大兴趣。当晚他便即兴写成这首《锄头歌》的歌词。第二天晨会上，陶先生就发表了这首歌词，并叫大家按照《植棉歌》的曲调歌唱。这首歌就这样传唱开来了。

《植棉歌》的曲调也不是我自己创作的，而是来源于南京蒋王庙的秧歌调。20年代初，我在金陵大学任职，在教学的同时，还到农村搞棉花新品种"爱字棉"的推广工作。一天，我骑车路过蒋王庙，听到路边水田里栽秧妇女正在唱秧歌，便停下来欣赏。只听到那位领头的插秧妇女尖着嗓子唱道："时日晴和四月天呀，哪有闲人在路边

呀！”其他妇女便帮腔唱：“依呀嗨，呀嗬嗨！”我听了这段歌词不免有些尴尬。接着又听到领头妇女唱：“不是(我)黄秧占住手呀，抓住他辫子摔上天哪！”水田里响起一片笑声。我才知道挨了骂。问了别人才明白，农村插秧时有个规矩，田埂上的人可以站在插秧手的前面看，不能站在她们背后看。我虽因站错了地方，挨了骂，却学到了好听的南京秧歌调。为了配合推广“爱字棉”，我就按这个曲调，填写了《植棉歌》的歌词。没想到这个秧歌调后来又成为《锄头歌》的曲调。

1930 年，晓庄师范被蒋介石查封，陶先生避难上海，又在《锄头歌》的歌词里增加了一节：“单靠锄头不中用，联合机器来革命。”于是，这首歌又增加了农工联合闹革命的新内容。

晓庄师范的一堂生物课

许永璋

1927 年，陶行知先生在南京创办晓庄师范(简称晓师)，宣传“生活教育”，提倡“教、学、做合一”，要求“教育与实际相结合”。他虽然曾留学美国，又当了校长，却是赤脚草鞋，挑粪种田，以具体行动来实现其教育主张。晓师的课程设置，皆从实际需要出发，生物课是重点学科，他特聘姚文采教授来校任教。姚先生与陶先生是安徽歙县同乡，又是同办南京安徽中学的老同事，当然欣然应聘。

姚先生应聘后某日，挟着生物书到晓师上课。才到校门前，陶先生迎上来，见姚挟着书，便问道："你挟这些书干什么？"姚诧异地问："上课不要书要什么？"陶先生解释道："你教的是生物课，这个课要解决生物在此时此地所发生的问题。"姚先生问："发生了什么问题？"陶先生答："我们建校以来，发现晓庄周围毒蛇遍地，时常伤人，学生不能安心学习，农民不能安心种田。所以，此时此地，消除蛇患是生物课的当务之急。"姚先生闻言，默然而退。

姚先生归至书斋，苦思捉蛇之策。忆及曾闻邻人被蛇咬伤而为夫子庙一老丐治愈，遂乘自备黄包车前往夫子庙求教于弄蛇老丐。老丐见姚这副派头，白了一眼，答非所问地应付了几句。姚领会其意，归取现洋若干，步行至老丐前，拱手奉上。老丐见其来意诚恳，答允教以捕蛇、治伤之法，姚先生如获至宝。

翌日，姚先生偕弄蛇老丐一同到校，笑对陶先生说："请快集合学生，让我讲授你所要求的那种生物课！"陶先生大喜，乃集合学生于操场。姚先生请出弄蛇老丐现场示范。老丐先放出袋中群蛇，教师生以捕捉之法；又掏出蛇药若干，教师生以调敷之方。师生们边看边学，演习操练，不多时便得要领。于是，陶先生、姚先生及弄蛇老丐，相与率学生奔赴山野，大捕毒蛇。不慎被蛇咬伤者,敷药即愈,以是人人奋勇。一星期后,蛇患遂平。师生、农民,皆大欢喜。

事隔多年,姚先生与人谈及晓师,对捕蛇之事,总是津津乐道。

俞庆棠与民众教育

涂为裳

俞庆棠女士(1897—1949),江苏太仓人。早年参加"五四"运动,曾以上海圣玛利亚中学学生会主席、上海市学联代表身份,出席全国学生联合会。后留学美国,在哥伦比亚大学攻读教育学与社会学。

1927 年,俞庆棠学成归国,任中央大学区教授兼扩充教育处处长。她怀着"教育救国"的理想,投身于中国的民众教育事业。民众教育这个名词,就是她受到中山先生遗嘱中"唤起民众"一语的启发而提出来的。她为工农民众争取教育权利而奔走呼号,争取各方支持,终于在江苏普及义务教育经费的"八分亩捐"中争得了十分之三的份额。于是江苏各主要城镇开办了许多图书馆、博物馆、公共体育场、民众教育馆、民众学校等民众教育事业。

接着,俞庆棠又为培养一支民众教育的师资队伍而各方奔走。1928 年 3 月,她在苏州创办了中央大学区民众教育学校，自兼校长。以后，该校迁至无锡，几经发展，到1930年，成为江苏省立教育学院，聘高阳为院长，她自兼研究实验部主任。当时，俞庆棠提出“学生与民众打成一片，学校与社会打成一片”的口号，并身体力行。先后在无锡开办了丽新路工人教育实验区、江阴巷民众图书馆、高长岸茭白产销合作社、南门民众教育馆等。

在这些民众教育实验单位中，无锡县北夏区的“青年学园”尤具特色。该园是根据北夏区历届高级民校毕业生提出再接受一次教育的要求而开办的。这是一所集乡村中学、乡村师范、初级农校于一体的教育实验结合体。为办好这所学园，俞庆棠派普及乡村教育实验区专职干部翁祖善、事务员陈志良及教育学院农系四年级实习生朱学诗、徐为裳等人前往建校。学园借地蠡埄钱氏义庄，一切修葺校舍、平整操场、改造菜圃桑园、修理课桌椅等事务，概由学生自己动手。学生中原来就会理发、裁缝、白铁、编篾等手艺的，则发动他们带徒传艺，课后走村穿巷，上门服务，或带回学校做包工。由于学园土地有限，学生大都农忙时在家种地，农闲时来校学习。一项农活开始前，先讲其科学原理、操作要求及注意事项。农事活动中，则进行现场巡回辅导。两项农活中的间隙期间，学生到校上文化课、社会课。每年秋收前，组织学生“野营”。学校生活丰富多彩，紧张而又活泼。学园还积极参加

抗日救亡活动，曾组织宣传队、歌咏队，到附近集镇“赶场”，演出《放下你的鞭子》等剧目，宣传抗日。俞庆棠还亲自到学园视察，听课，称赞学园同仁“干得很有声色”。

抗战胜利后，俞庆棠任上海市教育局社会教育处处长，继续大力举办体育场、图书馆、博物馆等民众教育事业。她还创办了上海市立实验民众学校，开设托儿所、少儿班、妇女班、青年班、技术补习班等，共有一千多人在这里哺育成长。

1948年10月，她应联合国邀请，赴美考察教育。1949年8月，她响应中国共产党的号召，回国参加中国人民政协第一次会议和开国大典。会后，中央人民政府政务院任命她为教育部社会教育司司长。同年12月，因脑溢血逝世，时年五十二岁。1986年，无锡市在鼋头渚茹经堂建立俞庆棠教授纪念室。全国政协主席邓颖超亲笔题词：“纪念人民教育家俞庆棠先生。”人民教育家这一美称，俞先生是当之无愧的。

巍巍旗杆壮中华

宋新桂

1934年9月，南京日本领事馆在鼓楼百步坡(今鼓楼公园附近)岗上竖起一根钢架式旗杆，和比邻的金陵大学(校址在今南京大学)北大楼并高。当时,日寇已侵占我东北,正疯狂蚕食我华北广大地区,全国人民无不义愤填膺。金大师生每天抬头即见触目刺心的太阳旗,因而都愤恨异常。

10月初,金陵大学三十多位同学发出启事,倡议竖立一根高出北大楼的旗杆,以显示中国人民不可侮的精神。启事一贴出,立刻就得到广大同学的热烈响应,启事的空白处很快便签满了名字。许多教职员工也热烈支持这一倡议。10月8日,金大校刊第一三三期刊载《同学拟捐建旗杆》一文,呼吁全校师生共襄义举。此后,金大及附中师生员工、金大校友纷纷捐款。

经精心勘察,选定于礼堂南侧兴建旗杆。经十个月的努力,耗资一千七百余元,一座钢管式旗杆终于在1935年8月建成。钢杆拔地131市尺,高过北大楼10尺许。巍巍旗杆上,国旗飘扬,压倒了日本领事馆的太阳旗。真是为中国人出了一口气。

1964年,南京大学拟在礼堂南侧兴建教学大楼,原有旗杆需要拆除。但因它是当年金大师生反帝爱国斗争的光荣标志,乃将其迁建于大操场南侧,以作永久之珍贵纪念。

校园歌声励童心

武　维

抗战前的江苏省立扬州实验小学，是一所建制完整、办学严谨的学校。30年代后，更加重视学生的全面发展，特别是重视通过音乐教育，陶冶学生情操，激励他们奋发学习，激发他们的爱国热情。

那时，每天放晚学前，学校规定各班级首先由老师作当天的小结，然后师生高声齐唱《夕会歌》：

> 光阴似流水，不一会，落日向西垂，落日向西坠。同学们！课毕放学归。我们仔细想一想，今天功课明白未？先生的讲话，可曾有违背？父母望儿归，我们一路莫徘徊。回家问候长辈，温课勿荒废。大家努力呀！同学们，明天再会！

这首歌适合孩子们的心理和实际，因而深受学生及家长的欢迎。

每年儿童节，学校召开庆祝会，同学们便合唱《我是现代的儿童》：

> 我是现代的儿童，我有双手能劳动。我是现代的儿童，我有脑儿能用功。我在劳力上劳心，手和脑儿一齐用。努力创造，努力

建设！做现代的好儿童！

每年4月下旬的校庆日，也举行庆祝大会，并邀请家长参加。会上，全体师生齐唱《校庆歌》：

院里梅花，天边明月，高低映照多纯洁。明窗净几好读书，书中滋味甜如蜜。想当初艰难创造，费去了多少心和脑！到而今似江边怒潮，浪花逐日翻高。愿我师长们、同学们爱护我校，使这一朵花儿，永远在人间照耀！

扬州实小尤其重视将时政学习与音乐教育结合起来，对学生进行爱国主义教育。"九一八"事变之后，中华民族正处于生死存亡的关头。那时，师生们经常唱的一首爱国歌曲是：

哀莫大于心死，悲莫甚于国亡。东北的土地沦丧，东北的人民死伤。那边是我们的河山，他们是我们的同胞。河山破碎，同胞死伤，你——心中觉得怎样？

这首歌悲愤深沉，使人歌唱时不禁热泪盈眶，有时甚至声泪俱下。通过这样的音乐教育，使孩子们时刻牢记国难家仇，激励他们努力学习，以报效祖国，并在其幼小的心灵里，埋下奋发图强、振兴祖国的种子。

任二北注重体育教育

厉鼎禹

当代著名学者任二北先生，不但是一位卓有成就的文学艺术史专家，而且是一位出色的教育家。20年代以来，先生先后在南京、扬州、镇江、桂林等地任教办学，培养出大批优秀人才。

二北先生办学，重视德、智、体三育并重，而其体育教育的观点及实践尤具特色。他很推崇颜习斋的体育思想："一身动则一身强，一家动则一家强，一国动则一国强，天下动则天下强。"他认为"积劳成疾"应改为"积劳成健"，只有"积劳成健"、"自强不息"，才能"积健为雄"。他身体力行，以身作则。

抗战期间，二北先生任桂林国立汉民中学校长。他曾为汉民中学校运动会题联："弱是罪恶，强而不暴乃美；胜固欣然，败能弗馁犹荣。"横额是："积健为雄自强不息。"他很重视体育道德，提倡"君子之争"，认为体育比赛是强身强国的手段，必须寓道德教育于其中，既云比赛，当然要力争胜利，当仁不让，但也必须"争也君子"，不骄不馁，不欺不邪。在校运动会上，设有两种奖匾：一是"运动第一"，一是"精神第一"。

他一贯主张学校体育是广义的，应包括锻

炼、卫生、营养、娱乐等几方面，要对学生身心健康全面负责。对学生体育成绩的考核标准是：锻炼成绩占 40%，出勤率占 20%，体育知识占 10%，运动道德占 10%，卫生习惯占 10%，健康情况占 10%。并且规定：凡是体育成绩不及格者（补考后仍不及格），不得升级或毕业；新生入学体检不合格者，不得参加笔试与口试。这种办学方法，实行于几十年前，确属难能可贵。

他对于体育设施，也是肯于投资的。那时的汉民中学，有标准的田径运动场，篮、排、足球场，体操场，旱冰场和划艇等水上运动设施。俱乐部设有多种文娱器材，每天课后定时开放，有专人管理。每逢周末举行文娱晚会。

当年汉民中学师生的生活是丰富多彩、严肃活泼的。每天黎明起身，校长带头，全校师生齐集大操场行升国旗礼，礼毕早操；日间上课，聚精会神，秩序井然；下午课外运动，室空场满，龙腾虎跃；晚间自修，鸦雀无声，几乎进入静的世界。真是动则动，静则静，动静有序，张弛结合，蔚然成风。

二北先生 40 年代在桂林任汉民中学校长时，作者任该校体育主任。以上史实，大多为作者亲历，虽五十年过去，仍历历在目，经久难忘。

朱自清为清华第十级写级歌和勖词

李为扬

我在中学时期，读过朱自清先生的《背影》和《荷塘月色》，深受感动，只恨无缘得见先生。

1934年夏，我在江苏省立扬州中学毕业，考入北平清华大学。本届扬中普通科毕业生约七十名，有二十四名被清华录取，这在全国各中学中是最多的。秋季开学后，在“清华扬中校友会”成立大会上，我十分欣喜地见到了朱自清先生。原来他也是我们扬州同乡，毕业于扬中前身省立第八中学，是扬中老校友，“扬中校友会”即由先生发起。

次年春，我当选为清华第十级第二届级委会主席，于是便由我去商请朱先生为我们级写一首级歌。先生欣然应允。不久，即将歌词写好。其时，国难当头，日寇侵占了东三省和热河，正把魔爪伸向华北。金瓯残缺，山河变色。全国人民莫不悲愤万分。先生以其深沉的忧国忧民之情和以天下为己任的胸怀，在歌词中表达了同学们内心的呼声，同时也抒写了先生对我们的殷切希望：

举步荆榛，极目烟尘，请君看此好河山。

薄冰深渊，持危扶颠，吾侪相勉为其难。

同学少年，同学少年，一往气无前。

极深研几，赏奇析疑，毋忘弼时仔肩。

殊途同归，矢志莫违，吾侪所贵者同心。

切莫逡巡，切莫浮沉，岁月不待人！

歌词写好后，由李抱忱先生谱曲。深沉而激昂的歌词，配上沉郁有力的曲调，真是珠联璧合。从此，这首级歌就在我们第十级三百余名同学中间唱开了。

抗日战争爆发，清华大学内迁长沙，次年春再迁云南蒙自。是年夏，我们因即将毕业，又请先生在毕业纪念刊上为我们写了一篇《勖词》：

向来批评清华毕业生的人都说他们在作人方面太稚气、太娇气。但是今年的毕业同学，一年来播荡在这严重的国难中间，相信一定是不同了。这一年是抗战建国开始的一年，是民族复兴开始的一年，千千万万的战士英勇的牺牲了，千千万万的同胞惨苦的牺牲了，而诸君还能完成自己的学业，可见国家社会待诸君是很厚的。诸君又走了这么多路，更多的认识了我们的内地，我们的农村，我们的国家。诸君一定会不负所学，各尽所能，来报效我们的民族，以完成抗战建国的大业的。

朱自清二十七年八月　蒙自

先生的这篇勖词，此后便成为激励我们报效祖国的座右铭。

陶桂林重视举办职业技术学校

魏嘉邦

1904年,陶桂林十二岁,从家乡江苏南通县吕四镇来到上海谋生。他从木工学徒开始,以后当上翻样师傅,到三十岁时,成为一座大厦工程的工地主任。在这十八年间,他上夜校,补习文化,刻苦钻研技术,努力学习英语,熬过了许多不眠之夜。在施工实践中,他亲身体会到缺乏文化知识的苦涩艰难,看够了洋人欺压中国劳工的嘴脸。他深刻认识到,没有技术知识,是难以自立、更无法与洋商竞争的。要打破由洋商垄断中国大型建筑和铁路、桥梁的局面,就必须由中国人自己兴办建筑业。1921年,陶桂林得到舅舅的资助,终于在上海独资办起了“馥记营造厂”。

为了打开局面,确保工程质量,提高馥记信誉,陶桂林深知,关键在于招揽使用人才。他除了聘请大批建筑专家和工程技术人员在馥记效力外,还想方设法提高整个施工队伍的文化、技术素质。为此,1930年,他在家乡创办“志诚土木建筑职业学校”。学校开学时,陶桂林从自己在上海学艺十八年的亲身经历讲起,勉励同学们

修德行、学技术,成为国家有用之才。这个办学宗旨,也表现在该校的校歌中。校歌歌词是:

大江之北,黄海之滨,巍然我校兴。
修德行,学技能,求进复求精;
做到双手万能,劳工是神圣。
振起兮顽惰的民性,唤醒兮委靡的国魂!
努力兮前进,建设兮文明;
发扬我华夏之精神。

陶桂林办这所职业学校,在教学上十分重视理论知识与实际操作相结合,并要求学生不但学习建筑技术,而且还要学习财务管理和组织施工等知识,务求学生毕业后,能承担多方面的工作,因而馥记承办工程时,虽然技术、管理人员比较少,但办事效率却比较高。该校先后共招收五届学生,前三届大都进入馥记工作,给营造厂带来了极大的活力,其中许多人后来成了馥记的技术骨干。此外,1931 年,陶桂林又在上海创办"正基建筑补习学校";抗战期间,在重庆开办"建筑技术培训班"。这都表明,建筑实业家陶桂林一贯重视举办职业技术学校。

由于馥记有了源源不断的人才,工程质量优良,营造厂发展很快,后来便扩大为"馥记营造公司"。营造厂和营造公司承建了国内许多著名建筑,如广州中山纪念堂、上海国际饭店、上海大新百货公司大楼(今第一百货商店)、南京中山陵陵墓第三期工程等,在现代中国建筑史上写下辉煌的一页。

王闿运讽曾国荃诗

吴白匋

王闿运《湘绮楼诗集》不收近体，别有《夜雪集》，专存七绝诗。其中有二首：

大通舟次逢曾元甫成功罢归即赠

鹊印光摇上色金，龙旗闲漾碧波心。
欲知上将功多少，试问长江水浅深？
波平如镜月如霜，总是年时苦战场。
惟有忘机旧鸥鸟，送君安稳到衡湘。

此讽曾国荃作。"元甫"一作"沅甫"，曾国荃字。其镇压太平天国，攻破南京，众所周知。事前，由于太平军死守，国荃率湘军攻两年，不能下。清廷见李鸿章淮军，凭借英国帮凶枪炮之力，连续攻破苏州、常州等城，号称"长胜军"，欲调之助攻。国荃拒之，鸿章亦不敢动。盖因当时传说天王府库金宝甚多，国荃欲独吞之，不仅为贪得头功也。最后，国荃于龙膊子山阴凿地道，埋炸药燃之，炸开太平门城垣十余丈，城始破，乃尽屠太平军之留守者，掠得金宝无算。清廷封国荃一等伯，国荃意犹快快，以传闻咸丰帝曾有诺封收复南京者为王，而其时太后听政，乃竟食言耳。未几，国荃奏请开缺、返里。闿运遇之于途，赠此两诗。

第一首前两句出自唐王昌龄诗"大夫鹊印摇边月，上将龙旗掣海云"，(此二句不见《全唐诗》王集，而《佩文韵府》卷七十一及《骈字类编》卷二〇七均引之，当据别本。)但加"上色金"三字，便非寻常辞藻。清制，惟封王爵始授金印，伯爵只授银印(据曾氏后裔云如此)，闿运故作溢美之辞，实是调侃也。下两句更妙，表面文章似颂战功之大，犹江水之深，实则利用常理：船载轻则吃水痕浅，载重则吃水痕深，国荃满载而归，究竟掳获多少，惟可验诸水痕之深浅也。

第二首亦有弦外之音：国荃归舟所经，总是多年与太平军苦战之地，大功告成，应有一番热闹景象，如韩昌黎诗句"日照潼关四扇开"，"相公新破蔡州回"之歌颂裴度者。闿运不然，竟写其凄清，江水空明，月色甚冷，盖亦讽其贪暴骄横，时人侧目，物议纷起，不得已而遣散部下，辞

官而归，颜面并不光彩耳。“忘机旧鸥鸟”是闿运自喻，谓多年投闲置散，无官守，无言责，与世无争，虽深知底蕴行迹，不为君害。若是他人，则不免谗口饶舌，使君不得安矣。

二首宛转其辞，托讽隐微，深得风人之旨，可与其所著《湘军志》参看。

周实与《白门悲秋集》

白　坚

《南社丛刻》为近代著名革命文学团体南社的机关刊物。自1910年出版第一集，到1923年新南社成立，共出二十二集。此外，还出版过两集增刊，其一是1917年出版的《南社小说集》，另一种就是《白门悲秋集》。该集的由来，还有一段故实。

1910年10月11日（夏历重阳），南社社员周实、高旭、高燮、蔡有守、姚光等人同游南京明故宫、明孝陵等古迹，流连咏叹，慷慨悲歌。事后，周实汇辑此次游览所得诗词，编为《白门悲秋集》，作为《南社丛刻》增刊出版。

周实字实丹，号无尽，江苏淮安人。时为两江师范学校本科学生。1909年，柳亚子等发起成立南社，周实闻风响应，为该社早期成员之一。柳亚子誉之为“社中眉目”。这次周实、高旭等偕游金陵,其开场便有一段佳话:原来,周、高二人“虽屡以诗词相证质,顾亦未一面”。高旭后来回忆说:“是日,晤实丹,竟不相识,然观其动静,窃以为此必实丹也。而实丹见予,亦以为此必钝剑(高自称),何以故?以非高钝剑断无此狂态故。于是乃相与握手大笑。”其时,正值辛亥革命前夜,他们借凭吊明代遗迹,发泄反清情绪,鼓吹革命。如高旭《过明故宫感赋》:“一代帝王今不见,只留遗恨满蒿莱。”高燮《谒明孝陵》:“我思陵中人,赤手歼胡戎。衣冠还上国,为治三代隆。”他们拾得明代遗址的一砖一瓦,都视为珍宝,并刻制为砚,赋诗作铭。其中姚光所制砚,柳亚子曾为之铭曰:“砚可穿,心无忘!宝者谁?臣姚光。铭者谁?柳弃疾。桥山弓,精卫石。”

《白门悲秋集》可以说是忧国反清的悲歌。它的基调是悲凉而沉郁的。周实的序言说:“庚戌秋,……勾留金陵,相与凭吊古今,百端交集,各以其胸中悲凉怫郁之气,发为诗歌,实汇而录之,得若干首,取名《悲秋集》,以其为《九辨》之遗音也。”全集共收诗一百八十八首,词七首。以周实最多,达四十首,其中多悲愤激越之作;如《〈民立报〉出版日少屏索祝爰赋四章》之四云:“昆仑顶上大声呼,共挽狂澜力不孤。起陆龙蛇鳞爪健,处堂燕雀梦魂苏。重重草木羞依附,莽莽荆榛待剪锄。千万亿年重九日,自由花发好提壶。”

辛亥革命起,周实返乡,与同邑志士阮式在

淮安举义响应，为山阳(淮安府首县)县令姚荣泽杀害。烈士虽然壮烈牺牲，但其英名业绩，及其诗词歌赋，将永远流传世间。

真假“田汉”

洪　桥

1929年1月，田汉率领南国社到南京公演，轰动全城，但也遭到国民党反动派的嫉恨。正当该社陷于困境，准备返沪之际，田汉突然收到晓庄师范学校校长陶行知的一封热情而又风趣的邀请信。信中写道：“自从诸先生来到首都，城里的民众唤不醒，乡下的民众睡不着。唤不醒，连夜看戏，早上爬不起来也；睡不着，想看戏，路远，无钱也。以诸先生的艺术天才，专攻白话剧，必能为中国戏剧开一新纪元。”末署：“陶行知十八年一月二十日。”

几天后，田汉率领南国社的演员们，踏着积雪，应邀来到晓庄演出。陶行知在演出晚会上致欢迎辞：“今天我们以‘田汉’的资格来欢迎田汉先生。我们的办学态度，正像我们的一副对联所说：‘和马牛羊鸡犬豕做朋友；对稻粱菽麦黍稷下工夫。’我们就是要为种田人办教育，让革命的教育和革命的艺术携起手来。”田汉致答词说：“陶先生是个‘真田汉’，我却是个‘假田汉’。

我这个‘假田汉’能受到陶先生这个‘真田汉’以及在座的许多‘真田汉’(指农民)的欢迎,感到万分荣幸。我们一定要向‘真田汉’们学习!”互相致辞后,精彩的演出便开始了。

南国社剧团在晓庄演出的大都是田汉自己创作的新戏。有《苏州夜话》、《一致》、《南归》、《卖花女》、《湖上的悲哀》、《古潭里的声音》等。这些剧作表达了作者对黑暗现实的不满和反抗,同时也多少带有彷徨的知识分子感伤主义的色彩,甚至还有一些无政府主义的倾向。不过,南国社这次到晓庄来为农民演出,倒是中国的知识分子与中国农民群众相结合的较早的一次尝试,是我国新文化运动史上的一个有趣的小插曲。从此,南国社就同晓庄师范建立了密切的联系,一些晓庄学生还参加了南国社的艺术活动。如共产党员宗晖(即谢伟棨),参与南国社活动后,对南国社的革命转变就起过积极的作用。

在南国社的影响下,晓庄师范不久就成立了“晓庄剧社”,“革命的艺术”和“革命的教育”真正地携起手来了。陶行知亲自担任了剧社社长。成员有宗晖、叶刚、郭凤韶、袁咨桐等男女青年约三十人,分编为剧务、导演、化装、布景等组。陶行知还带头创作了《乡姑的烦恼》、《爱的命令》、《死要赌》等反映现实的独幕剧,并亲自登台表演。他曾在《苏州夜话》中饰演老画家,在《生之意志》中饰演老父。他和宗晖同台表演时曾摄有剧照一幅,一直保存至今。

田汉爱唱《击鼓骂曹》

洪　桥

田汉特别爱唱京剧中《击鼓骂曹》那个唱段。1928年春，南国艺术学院初创时，他几乎一天到晚都在唱，在学校唱，在家里也唱。因为常听他唱，许多学生不知不觉也都会唱了：

平生志气运未通，
如蛟龙困在浅水中。
有朝一日风雷动，
得会了风云上九重。

这一段唱词豪迈，唱腔高亢，田汉当年满怀豪情的风采，可以想见。

南国艺术学院的前身是著名的“南国社”。田汉创办这所学院时，并无分文，校舍也只有一间很小的画室和一座简陋的小剧场，可以说是白手起家。但是，由于田汉聘请了徐悲鸿、洪深、欧阳予倩和徐志摩等一批名流学者来任教，同时又提倡学生自己治校，故短短数月，就办得有声有色，名震一时。后来的许多著名艺术家，如剧作家陈白尘、画家吴作人、导演郑君里、“电影皇帝”金焰和美术理论家刘汝醴等，就都是经过这所学院培育的。

田汉大唱《击鼓骂曹》的时候，正值大革命

失败，白色恐怖笼罩全国。许多进步知识分子陷入苦闷之中。田汉当时的心情也是很愤懑的，因而，他常常借唱这段戏文来发泄。这种心情和举动正好与围绕在他身旁的这些青年学生合拍，因而，许多学生便无形中受到感染，也就跟着唱起来了。

曲学大师吴梅

孙　洵

清末民初，京剧渐臻完善，风靡全国；文明戏与电影也相继问世，吸引了许多观众；而昆曲这一古老剧种却濒临衰微境地。纵使还有一些昆曲艺人仍在活动，但因其演唱有不得法者、剧本有缺套者，昆曲处境越见艰难。不少有识之士，思起而振之，遂为之呕心沥血，奔走呼号。吴梅教授即为挽救昆曲卓有业绩者之一。

京剧表演艺术家梅兰芳，曾于1917年11月在北京主演《木兰从军》。梅原以男演旦，而木兰一角又是女扮男装，故表演难度甚大，科白打唱均极不易。但梅之演出，却丝丝入扣，恰到好处，因而轰动全城。实则梅氏演出之成功，颇多受益于吴梅。词曲家卢前《奢摩他室逸话》记载此事云："梅兰芳演《四声猿》中《雌木兰》剧，即今所谓《木兰从军》者，先生实指导之……又某伶尝演《博望访星》,先生亲为操鼓板,以梨园行多不知先正遗规,演旧曲每不中法。”

据唐圭璋教授回忆,昆曲界以演“南昆”享盛名的“传”字辈艺人中,也有不少人得到过吴先生的指导栽培;另外,韩世昌、白云生、鲜灵芝等艺人也曾请教过吴先生。吴梅先生自己对此也有所记载。《瞿安日记》云:“京师自乱弹盛行,昆调已成绝响。吾丁巳寓京,仅天乐园有高阳班,尚奏演南北曲,其旦名韩世昌,曾就余授曲数支也。”《奢摩他室逸话》亦云:“女伶鲜灵芝演《浣纱记》剧,以缺西施辞越一曲,请补作。先生乃以[绣带儿]、[引驾行]、[怨别离]、[痴冤家]、[满园春]五调,集为[绣驾别家园]。一时听者,皆为神往。”

吴梅教授是一位成就卓著的词曲专家,他不但对词曲理论造诣极深,而且积极从事创作,写有杂剧、传奇十余种,并长于度曲,更可贵者,他还能上台演曲。1934 年 10 月,百雷曲社演曲,他在《游殿》中饰演旦角,在《孙诈》中饰朱亥,《学堂》中饰陈最良,《见娘赴任》中饰老旦,《八阳》中饰解差。可见他生、旦、净、末、丑都能出演。

在大学授课,吴先生亦不满足于“纸上谈曲”,而常常携笛上课,亲为吹奏,或请笛师伴奏,唱曲示范。高等学府中文系开设词曲课程,以唱曲为教学手段,盖由吴先生首倡之。

停艇听笛

俞润生

唐圭璋先生在就读东南大学期间，参加过由吴梅先生发起的词社。词社的名称叫“潜社”，取“潜心学术”之意。唐先生回忆说：“我和同学段熙仲、王季思、张世禄等人都参加了。”春秋佳日，星期有暇，先生率领我们学生游览南京名胜古迹，每到一处，都和我们一起作词谱曲。明故宫、灵谷寺、玄武湖、扫叶楼、豁蒙楼，常有我们师生的足迹。”另据卢前先生回忆，他们经常到的地方还有夫子庙秦淮河畔的万全酒家。

万全酒家有河厅，河厅有榜，榜上题有“停艇听笛”四个大字。这四字正好是平、上、去、入四声，极具雅趣。潜社师生社友相集，或落座河厅，或登舟游弋，兴到之时，择调命题，填词赋曲，其中不乏深沉幽思之作。如1928年秋，吴梅先生曾选〔商调·山坡羊〕，即席低吟曰：

望江城云山低亚。买吴艨琴尊潇洒。问当年诗人酒朋。算两年多少悲欢话。

唐圭璋先生在社中的词作有十余首。其[高阳台]《访媚香楼遗址》云：

晓梦迷莺，暖香簇锦，秦淮曾照惊鸿。

花里调筝，垂杨十里东风。南都盒子争罗帕，算儿家、第一玲珑。想柔情、描黛双修，灯影纱红。　尘飞沧海江山换，念天涯客子，一例飘蓬。薄命春丝，知谁重访芳丛。冰绡洒血贞心在，也应羞、中阃元戎。吊兴亡、斜径苔深，何处遗踪。

媚香楼在南京夫子庙西侧，秦淮河畔，相传为明末名妓李香君的寓所。李适名士侯方域。侯降清，李削发为尼。清孔尚任《桃花扇》，即以侯李离合之情，写明清兴亡之事。唐先生这首词，极其凝练地概括了《桃花扇》的这一主题。

唐先生晚年，每忆及“停艇听笛”等往事，常有无限感慨。他十分欣赏王季思先生的一首回忆那些往事的[鹧鸪天]：

灵谷霜枫映碧天，秦淮烟月侑清筵。一时人物东南美，同学青衫正少年。　风雪过，日华鲜。白头相见各欢然。词山曲海浑闲事，乞与高风代代传。

唐圭璋与吴梅

俞润生

词学大师唐圭璋曾师从吴梅(字瞿安)学词十余载，师生情谊甚笃。1939年，吴先生不幸客逝云南。唐先生时在重庆，闻耗后，悲恸不已，写下了传诵一时的《吴先生哀词》。词云：

计予从先生十六载，勉予上进，慰予零丁，示予秘籍，诲予南音，书成乐为予序，词成乐为予评。柳暗波澄，曾记秦淮画舫；枫江秋老，难忘灵谷停车。呜呼！而今已矣！旧游不再，承教无期。千里江南，未知归旐何年？一尊蜀道，窃比心伤宋玉！

其词历述先师扶持之恩，语极沉痛。唐先生又有[虞美人]《悼瞿安师》一首，收《梦桐词》中：

乱山迷雾姚州路，不道臞仙去。两年避寇走天涯，白发飘萧、日日望京华。 豪情曾击琼壶碎，几度青溪醉。水磨白苎寂无闻，莺老花残、空忆石桥春。

1984年，是吴瞿安诞生一百周年。唐先生赋[减字木兰花]《祝瞿师百年诞辰》，以志纪念：

少成风洞，悲壮苍凉为世颂。指点宫商。携笛公然上课堂。 散原古老，得力诗词均妙造。祝寿粟庐，不向王门一曳裾。

这首词概括了瞿安师的一生行藏及为人品格。吴梅21岁时写有《风洞山传奇》，风格悲壮苍凉，为世传颂。1917年，应蔡元培之聘，吴先生到北京大学执教词曲，于课堂吹笛唱曲，使向来被视为小道的词曲之学登上大学讲坛。吴先生的创作，诗得力于散原(陈三立号)老人，词得力于古微(朱祖谋字)老人，曲则得力于粟庐(即俞宗海，俞振飞父)先生。1921年，徐树铮欲聘吴先生为秘书，吴以《鹧鸪天》一首明志。其中有“懒向

王门再曳裾”之句。“曳裾”典出《汉书·邹阳传》:“饰固陋之心,则何王之门不可曳长裾乎?”唐圭璋先生一生淡泊名利,其高风亮节,有人所不能及者,盖亦有得之于瞿安师者。

易君左即席挥毫

李为扬

易君左《闲话扬州》,引起扬州闲话;易君,左矣!

林子超主席国府,连任国府主席;林子,超然!

这是30年代初脍炙人口的一副名联。其下联是指当时南京国民政府主席林森,字子超。而上联则是指易君左出版了一本《闲话扬州》的小册子所引起的一场风波。

易君左,名家钺,以字行,湖南汉寿人。汉寿原名龙阳,故易君左及其父易实甫均被时人昵称为“龙阳才子”。当时镇江为江苏省会,易君左先任江苏省教育厅编审主任,后任该厅主任秘书。我的堂兄李韧哉、堂嫂陈季婍与易君左、黄学艺夫妇交谊甚善,经常来往。

1936年仲夏某晚,韧哉兄夫妇在镇江西府街八号寓所设家宴款待友好,其中即有易君左伉俪。我与学郛侄作陪。席间,宾主开怀畅饮,纵谈家国事，百感交集。君左旋乘兴口占新词一阕。季婔嫂笑道："我有精致小扇一把，珍藏久矣，今晚趁龙阳才子雅兴，倒要敬求墨宝呢！"阖座宾朋，无不抚掌称善，君左亦欣然应诺。季婔嫂便取出檀香骨小纸折扇一把，扇骨长仅四寸七分，扇面高不过二寸七分，其背面已绘有山水。时君左已面带微醺，只见他正襟危坐，卷袖磨墨，濡笔恭书蝇头小楷于纸扇正面之上。词曰：

寒夜清宵，美酒名厨，人生几何？笑乱折花枝，朱颜易改；轻描远黛，绿鬓无多。十二三人，百千万事，好把春光当墨磨。愁黯澹，况心原破碎，泪亦婆娑。　　汉家万里山河，让吾侪耳热发狂歌。问古冢今陵，长楸安在？东疆西宇，塞雁曾过？号角悲音，琵琶冷怨，一纸输赢战与和。从军梦，梦飞书草檄，跃马横戈。

生平不多作词，韧哉招饮，偶拈[沁园春]一阕，自觉尚佳。适季婔嫂嘱书，即书此词以应。丙子夏，易君左。

书成，随取席上牙签一根，蘸着印泥在署款下点画成朱文篆体"君左"二字，以代印章，维妙维肖，众皆赞赏不置。

其时正值"西安事变"爆发前半年，日帝谋我日亟，国家民族正处内忧外患之际，[沁园春]词抒发了一个忧国者的真挚心声。易君左书扇现由李学郛工程师珍藏。

三百年名笔相辉映

许永璋

钱澄之(1612—1693),字饮光,明季诸生。明亡,曾削发为僧,杜门著书,学者称田间先生。有《易学》、《诗学》、《庄骚合诂》、《田间诗文集》等。余家旧藏其手写所作诗四章,笔法苍劲浑厚,盖变化颜平原、米海岳而自成一家。光绪庚寅(1890),先王父希白公请吴汝纶题诗其后:

颠木抽萌事可伤,数诗哀怨意苍茫。
君看三百年遗烈,草泽书生耿未忘。

1947年间,余以册页已有破损,复请高一涵、胡小石、卢冀野三先生题辞缀于卷末。高先生题云:

吉光片羽足珍奇,手写胸中爱国诗。
风雨几经神物在,有心人自共扶持。

胡先生题云:

桐城钱饮光先生,明亡抗节不出,隐居著述以终,与药地师并为遗民之望。此其手写所作诗,可见怀抱馨逸之一斑也。

卢先生题云:

检箧遗珍祖及孙,田间诗句世犹存。
惊心六十年中事,前后庚寅四改元。

卢先生此诗系1950年重题,因前题之诗散失,故诗中有“前后庚寅”之语。

自田间翼野诸先生，皆一代名流而笔墨汇于一卷，光耀三百年之书坛，弥足珍贵。不料竟沦于浩劫，曷胜慨叹！兹略沉其来历，冀使雪泥鸿爪，再现于想像之中，聊供欣赏云尔。

清道人书法

何冰生 遗稿　金成生 整理

晚清进士李瑞清，曾任江宁提学使，兼两江师范学堂监督，为近代著名书法家。辛亥后，蛰居上海，黄冠野服，自号“清道人”。

道人之书法，波峭险峻，蕴藉风流。与曾熙共砚廿有四年，各擅南北碑，号称“北李南曾”，名重一时。

道人尝自述习书过程云：“瑞清初学训诂，钻研六书，考览鼎彝，喜其瑰玮，遂习大篆。随笔诘屈，未能婉通。长学两汉碑碣，差解平直。年二十六，始习今隶，博综六朝，既乏师承，但凭意拟，笔性沉坠，心与手忤，每临一碑，步趋恐失，桎梏于规矩，缚绁于绳墨，指爪摧折，忘其疲劳。岁在甲辰(1904)，看云黄山，观澜沧海，忽有所悟。未能覃思锐精，以竟所学，每自叹也。”其言虽多自谦，然亦可见其穷年累月学书之脉络及力学精进之大概。

论其学书心得，则云：“手腕至活也，而欲其死；斑管至死也，而欲其活。盖腕不死，则管不活，惟腕死而腕之功乃到；管不活，则字亦不活，必管活而管之用始神。”又云：“近代学《散氏盘》者，多鼓努为力，锋芒外曜，安有澹雅雍容，不激不厉之妙？故不通篆隶而高谈北碑者，妄也。”

其挚友曾熙尝谓：“阿某善取篆隶之精，驰骋古人荒寒之境，喜临《嵩高》、《广武》，用笔得之《乙瑛》，布白出于《郑固》，纳险绝，入平正，饶金石气，其工力深也。”清道人于书法，诸体皆精。他的大篆久负盛名，楷书、真行书均极精妙。其楷书清劲中见沉着，古拙里透秀气。“以篆籀之气行于北碑”，可见其北魏书艺造诣之深。大书法家沈曾植亦言其能随手摹古今诸家之体，而且妙在“似且不似，不似而似”之间，此正谓其善于继承传统，又能出之变化以求新也。

为《向导》题写刊头的徐枕亚

周文晓

“鸳鸯蝴蝶派”著名作家徐枕亚，不仅长于写哀情小说和旧体诗词，而且擅长书法。中国共产党中央委员会第一份机关报《向导》周刊的刊头，就是徐枕亚题写的。

1922年，党的“二大”以后，党中央决定在上海创办《向导》周刊，由陈独秀、蔡和森负责编辑工作。当时任中共上海地方兼区执行委员会书记的徐行之(即徐梅坤)负责出版和发行。徐行之的公开身份是设在公共租界梅白克路（今新昌路)光明印刷厂的排字工人。这年夏秋之间，徐行之得光明印刷厂工友介绍去找徐枕亚，告诉他有个朋友陈独秀要出一个刊物，请他题个刊头。那时枕亚在交通路独资开设一家“清华书局”，书局门口有他和兄长天啸所订的鬻书润例，称作“海虞二徐书约”。枕亚很高兴地答应了徐行之的要求，立即挥毫题写了“向导”二字，并落款“徐枕亚”三字。后来，《向导》出版时去掉了落款，以致此事一直少有人知。

徐枕亚因写《玉梨魂》盛名于世，继有《雪鸿泪史》、《刻骨相思记》等长篇小说，为民国初期著名作家。但徐的婚姻生活却很不幸。因其妻蔡蕊珠不见容于婆母，徐只得与蔡办理了离婚手续，然后在上海秘密同居。1924年，其妻因产后失调，遽尔逝世。枕亚伤心至极，遂取一笔名曰“泣珠生”。徐还将悲剧归罪于自己“喜事涂抹，于文字上造孽因”，表示不再热心为小说家言，而要代人写字，以笔润度日。1927年，他在《江南泣珠生鬻文字直例》前写了一首诗：“为官第一商第二，富贵人生非偶然；何事营求空造孽，惬心还是卖文钱。墨瘁纸芬成底事，文人活计最无聊；亲情友谊慵提起，铁面居然学板桥。”

徐枕亚曾师从清末著名文人樊樊山学书。樊山八十岁时，曾为徐枕亚订有《枕亚贤友鬻书润格》，其文曰：“樊山老人徒负虚声，其隶吾门者皆有出蓝之誉，而徐君枕亚其尤也。君孝友发于天性，述作富于才情，今将鬻书以供事畜，属余一言以喤引……”他还评论枕亚的书法说：“不以摹拟为工要，当以才、学、识三者为根柢，始能摆脱馆阁、江湖两种习气；若君之所作，可谓有书卷气、有碑版气，而无一毫习气者也。”

毕倚虹创办《上海画报》

武　维

毕倚虹，江苏仪征人。出身于书香门第，国学根柢深厚，为著名报人包天笑赏识，得以进入新闻界。毕倚虹除有著名章回小说《人间地狱》问世外，还创办《上海画报》、《银灯杂志》(即今《电影杂志》前身)、《上海夜报》等，其中《上海画报》尤具特色，影响极大。

1925年，上海发生"五卅惨案"，毕倚虹积极投入反帝斗争。为及时揭露帝国主义的暴行，反映中国人民英勇斗争的实况，毕倚虹认为，仅靠报纸的文字报导和少量插图已不能满足广大读者的要求，必须采用更形象更直接的报导方式，于是决定创办画报，大量发表现场新闻照片，以适应反帝斗争的需要。

1925年6月，《上海画报》第一期出版。该期所登照片主要有：《学生在华界沿途讲演》、《凄凉之南京路》(当时南京路属英租界)、《热心之学生募捐队》、《南京路之西兵防守》等，并发表《沪潮中我之历险记》("沪潮"即指"五卅惨案")等文章，与照片相配合。这些照片真切地揭露了帝国主义在中国领土上的暴行，反映了中国人民不畏强暴、英勇斗争的精神，立即得到社会各界的好评。此后,《上海画报》即以刊登时事新闻照片为主,附以文字说明,每三日出版一期,及时报导了许多重要的时事政治新闻。例如,在圣约翰大学因外籍校长阻止学生参加爱国运动而发生学潮期间,便刊登过有关该校的许多照片,如《课堂中之激昂气氛》、《圣约翰之旗杆、禁止学生升中华国旗之西校长卜舫济》、《人去楼空之圣约翰大学》等,并发表《约翰潮》等文章,与之相配合。

由于《上海画报》紧密配合时政,报导及时、真切、形象,因而受到读者的普遍欢迎,并为新闻界所重视。不幸的是,毕倚虹却于1926年遽尔病逝,年仅三十五岁。

徐悲鸿香港得宝记

周俟松①

1938年,徐悲鸿应香港大学中文学院主持人许地山教授的邀请,到香港举办画展。展厅设在港大图书馆。悲鸿与地山原系旧交,我家就在港大附近,因此便请悲鸿住在我家。

当时,香港有一位德籍马丁夫人,收藏许多

① 周俟松,许地山夫人。

中国古代绘画,其中不乏珍品。地山对中国文物外流十分痛惜,早就有意赎回其中的一些珍品。现在行家到来,正可鉴别。于是他就建议马丁夫人和悲鸿交换收藏。悲鸿用法语与马丁夫人交谈,十分融洽。马丁夫人遂将藏画悉数取出,请悲鸿鉴赏。悲鸿一眼瞥见一幅人物白描长卷,画面八十七个人物,列队行动,姿态飘逸自如,表情栩栩如生,如神似仙。该画构图精美,用笔流利劲健,风格高古纯朴。确是一件稀世之宝。悲鸿一见,心跳手抖,便商之马丁夫人,愿以此次画展中最佳作品与之交换。马愉快接受。悲鸿得此宝图,大喜不已,回到我家,便将此卷盖上“悲鸿生命”图章,并将其命名为《八十七神仙卷》,然后与地山开怀畅饮,以示庆祝。

徐悲鸿画《国殇图》

李嘉球

北京徐悲鸿纪念馆陈列有一幅名为《国殇图》的写真画。画中所绘人物为国民党元老李根源先生。画面上,身材魁梧的李先生,左手横握拐杖,满腔悲愤,怒目而视。这是徐悲鸿先生有感于李老先生两次披麻送国殇而画的。

1932年,“一二八”淞沪抗战中,十九路军浴血奋战,而国民党政府采取不抵抗政策,不增兵支援，致使十九路军伤亡惨重。此时，憩居苏州的李根源即与章太炎、张一麐等人联合在报上发表抗日声明，声援抗日战士，并募捐抗日经费，组织红十字会赴淞沪前线救治伤员。战事结束后，李先生又出面将殉难将士安葬在吴县藏书乡善人桥镇北的马岗山麓，亲笔题写“英雄冢”墓碑，并撰写了碑记。下葬时，苏州人民执绋送葬，李根源先生走在队伍的最前列。

1937年，“八一三”淞沪抗战时，李先生再一次与张一麐等苏州爱国人士，想方设法，做好后援工作，组织红十字会到前方抢救伤员，殡殓忠骸。他们所安葬的每一位阵亡将士，都埋有砖志，书明其姓名、籍贯、年岁、队号、阵亡地点等。因“英雄冢”近旁已无隙地，李先生等又在灵岩山下的石码头五龙公墓东侧筹划了一块墓地。是年11月5日，李先生率乡民、学生近万人，躬送八十二具灵柩至墓地。先生亲为披麻致祭，负土堆陵。当天，李先生题写《奉安东战场阵亡将士忠骸》一绝：

霜冷灵岩路，披麻送国殇。
万民争负土，烈骨满山香。

1943年，李先生住重庆化龙桥。徐悲鸿先生去看望他，听李先生说到这两次披麻送葬事和这首诗，十分感动，随即画《国殇图》长卷以志其事。可惜该图历经磨难，大部分已经损毁，仅存绘有李先生的那一部分。这一部分的右上角还有一行题款：

国殇中执绋者像。卅二年六月十日在化龙桥为李印泉先生造像。 悲鸿。

吕凤子先生艺精品高

涂伯璞

吕凤子先生大我十六岁，与我可算是忘年交。实际上，他既是长者，又是良师。多年来，我从他的言行中，受到了很深的教益。

1911年，吕先生捐献家产，在家乡丹阳创办“私立正则女子职业学校”。1937年，抗日战争爆发，学校被迫停办。先生于1938年抵渝后，择定渝西璧山县为住处，收容“流亡”青年创办“正则蜀校”，继而又于1940年创办“正则艺专”。办校过程中，先生将所有家产及艺事收入都补贴到学校里去，而家里只能勉强糊口，但先生却一声不响，从不谈及此事。

吕先生办学，还有一事使我深受感动。抗战胜利后，所有外省人都准备复员或返籍，独吕先生还在忙着修建校舍。我便问：“你怎么还这样忙？”他说：“我赶快把校舍建好，以便及早完整地交给地方人士办教育，我才能安心复员，回家办学。”

先生为一代丹青高手。抗战初，先生所绘《逃亡》、《船夫拉纤》二图，堪称中国民众苦难生活的真实写照。曾由当时的教育部送到苏联展览，受到热烈欢迎。先生也被誉为“人民艺术家”。

先生作画有一特点：题款时常将自己的名字写得很大。一次，我曾戏问此事。先生大笑说：“以往的人题款，有的萎萎缩缩，好像连身子也站不起来，过谦得几乎到了不平等的程度！作画和写字是堂堂正正、光明磊落的事，为什么不应把自己的名字写得大大的？”停了一会儿，又严肃地说：“我改名‘凤先生’，就是要用‘先生’的标准来严格要求自己。”

先生又常说：“要想创作出精湛的书画艺品，重要的在于品格的高洁，因为艺品正是个人内心世界品质的表露，这是丝毫不爽的定论。”先生的书画篆刻，寓意深远，功力深厚，正是他表里如一、言行一致的结晶。

王蘧常论章草要诀

王馥荪

当代章草大家王蘧常先生习字，初学二王，十七岁师从书法名家沈曾植先生学书。沈云：“凡治学，毋走常蹊，必须觅前人夐绝之境而攀登之。如书法……不如学二王之所自出，即章草。”又云：“学章草，必须从汉隶出。”章草始于西汉，由隶书演变而来。蘧常先生习学章草，先从晋索靖《出师颂》及萧子云《月仪帖》入门，继临北碑《郑羲》、《敬使君》，后又学《张迁碑》、《张清颂》诸碑及龙门诸造像。后得陈澹如先生所赠松江本东吴皇象《急就章》，更反复临摹，经年不辍。经数十年潜心揣摩，勤学苦练，终于成为章草大家。其特色，一在于融章草与钟鼎、简帛为一体，高古质朴；一在于用笔凝练，兼得皇象之“沉着、痛快”与二王之“坚强、紧凑”，以形成自己之风格，达到“力透纸背”之境界。

蘧常先生章草作品遍布大江南北，出版有《王蘧常章草选》、《王蘧常章草》两帖。其遗作《十八帖》，更堪称炉火纯青之作。先生著有《书法问答自述》，总结其学书六大要诀云：专一、敏速、诚正、虚心、博取、穷源委。诚为学书之金针也。

毛公鼎收归国有亲历记

涂伯璞

国宝毛公鼎系西周晚期青铜器。该鼎铸造精良，造型规正洗练，文辞瑰丽典雅，铭文长达四百九十九字，为现存吉金文之最长者。

该鼎自道光年间出土后，一直在民间流传。抗战胜利后，风闻毛公鼎在上海有了消息，遂引起学术界的极端关注。当时我任职教育部，文博事业系我主管业务之一。经多方查询，始知此鼎已在“上海敌伪物资管理委员会”。于是便以教育部名义，两次呈文行政院，要求将其拨交国家博物院收藏。然事经月余，未见批复，遂第三次呈文,并请教育部政务次长杭立武陪同,前往行政院会见秘书长翁文灏,剀切陈词,说明此鼎确系国家重器,必须立即拨交国家文博机构收藏,以防不测。此事遂获首肯,并给予行政院“准予拨给”的令文。我随即携文连夜乘车赶往上海。

“上海敌伪物资管理委员会” 主任是郭泰祺,过去曾任外交部长,与我尚有一面之识。但洽谈两次,总不得要领,对方只是说:“查查看有没有这件东西。”不得已,我便邀请上海市图书馆馆长、著名学者徐鸿宝(字森玉)先生同往恳谈, 他们才交出此鼎。当即由我代表教育部领取。拿到宝鼎后,我立即乘夜车赶回南京。为提防有权势者知悉,又闹出什么波折,我便悄悄将宝鼎放在自己办公桌下,并通知中央博物院(今南京博物院)前来领取。此后二十多天,此鼎一直躺在那张桌子下面,未引起任何人注意。1946 年 8 月 1 日,中央博物院派专门委员曾昭燏前来教育部,将宝鼎郑重领去。

此后,院方特地拓了一份毛公鼎的铭文,送给我作为纪念,该拓片我一直保存至今。宝鼎则于南京解放前夕被运往台湾, 现藏台北故宫博物院。

吴县潘氏护宝鼎

李嘉球

吴县潘祖荫，世为江南望族，曾官至工部尚书。其人平生收藏钟鼎彝器甚富。其中尤以“大盂鼎”及“大克鼎”最为重器。该二鼎与“毛公鼎”，时称“海内三宝”。

大盂鼎为西周早期青铜器，道光初年于陕西岐山出土。出土后几经易主，转入左宗棠之手。咸丰十年(1860)，左遭弹劾，赖潘祖荫上疏营救获免。后左为报答此恩，遂将该鼎赠潘。大克鼎是周孝王时期的青铜器，光绪十六年(1890)出土于陕西扶风。出土后不久，潘祖荫以重金从天津何氏手中购得。为此，他还特意刻了一枚“宝藏第一”的印章。

潘祖荫逝世后，两鼎由其胞弟潘祖年从北京运回吴县，作为传家之宝。光绪末年，端方抚苏，觊觎两鼎，屡次谋夺而未遂。到20年代，又有一美国人愿以六百两黄金或一幢洋楼之高价，欲购潘家大盂鼎、大克鼎、龢镈等三件重器，潘家当即拒绝。嗣后，又有国民党某要员，在苏州盖起一座大楼，以办展览为借口，向潘家“商借”两鼎，亦为婉拒。

1937年10月，苏州沦陷前夕，潘家主持家

务的潘祖荫孙媳潘达于，商之于潘氏子侄辈，决定将两鼎深埋于自家久已无人居住的第二进中间室内。不久，潘家避难去上海。日军占领苏州后，一个叫松井的头目，探得潘家藏有宝物，便多次派人到潘家搜索。后来听说两鼎早已失落，才算作罢。

解放后，潘达于老太太看到人民政府对文物保护工作十分重视，同时，也深感保护国宝责任重大，遂于1951年将宝鼎起出，献给国家。中央文化部为此特颁发褒奖状，以表彰潘达于老人的爱国行动。

甪直罗汉塑像修复记

李嘉球

苏州吴县甪直为江南名镇。镇上有一始建于南朝梁代的保圣寺。寺内有一处全国重点文物保护单位——保圣寺罗汉塑像。塑像原有十八尊，相传为唐代开元年间雕塑家杨惠之的作品。这批塑像千百年来历经沧桑，至20世纪20年代，已损毁严重，全赖当年顾颉刚、蔡元培、叶恭绰等人的全力抢救，才得以保存至今。

1922年夏，顾颉刚来甪直省亲，看到保圣寺大殿正梁已经断裂，塑壁毁坏，罗汉残破，极为痛心，当即请同来的陈万里为剩余的罗汉拍了照片。回北京后，顾把照片分寄蔡元培、沈兼士，请他们设法保护。蔡接信后便与江苏省教育会和上海美专联系，建议他们会同甪直教育会会长沈柏寒商讨保护办法。沈柏寒曾为此致函苏常道尹蔡师愚。蔡以修复工程所需七八万元巨款难以筹集，塑像无法修复，仅在塑像四周围起栅栏了事。

无奈，顾颉刚便写了一篇题为《记杨惠之塑像——为一千一百年前的美术品呼救》的文章，在 1923 年 7 月 1 日的《努力》周报上发表，呼吁社会各界“抢救唐塑”。商务印书馆总编译高梦旦先生见报后，立即致函江苏省教育厅厅长蒋维乔，商讨抢救办法。经各方努力，筹集了一笔款项，遂雇请苏州塑佛匠人陶子泉，把达摩等五尊塑像拆下，放在寺旁甫里先生祠中保存。这年 7 月，蔡元培与周峻在苏州举行婚礼，胡适从北京寄来贺信，建议蔡先生发起修缮塑像，以作新婚纪念。蔡、周欣然响应，在旅欧度蜜月之前，捐银百元以为倡导，请留在苏州的亲友经营此事。12 月，顾颉刚又将有关杨惠之的史料和罗汉照片，交发行量较大的《小说月报》发表，从而引起了更广泛的反响。1925 年，南开大学陈彬和将该期《小说月报》函寄日本国美术史教授大村西崖。大村对此极感兴趣，遂于 1927 年春来甪直考察。回国后，大村著《塑壁残影》一书，介绍了这些罗汉塑像的历史价值。

1928 年，叶恭绰先生见到大村的书，便亲到

甪直，主持将尚存的九尊塑像清理出来，放在甫里先生祠的光明阁，并发起成立“唐塑保存会”，上书大学院(相当于教育部)和江苏省政府，请求拨发修缮款项。不久，“保存甪直唐塑委员会”正式成立，由叶恭绰全面负责，蒋梦麟、马叙伦、蔡元培、顾颉刚、陈万里等十九人为成员。

在蔡元培院长的支持下，大学院拨款一万元，江苏省政府拨款三千元，又另筹一万元，开始了修复工作。保存会接受吴敬恒的意见，将拟议中的建筑命名为“古物馆”。决定聘请建筑师范文照负责建筑设计，雕塑家江小鹣负责塑像修复。徐悲鸿、刘海粟等人也专程到甪直考察研究，参与制定方案。最后决定在原大殿旧址上建造一座宽敞的罗马式大殿。工程展开后，因江小鹣另有要事，遂派他的助手江苏青年雕塑家滑田友到甪直，具体负责修复塑像事宜。工程告竣后，谭延闿题写了馆名，蔡元培撰写了《甪直保圣寺古物馆记》，由马叙伦正楷书写，黄蔚萱刻碑，立于古物馆中。1932 年 11 月 12 日，保圣寺古物馆举行开馆仪式，周峻女士为之剪彩。

柳诒徵与南京国学图书馆

储予润

1927 年夏，江苏省立国学图书馆聘柳诒徵为馆长，馆址在南京清凉山龙蟠里。其前身是清末两江总督端方奏请创办的江南图书馆。

江南图书馆为我国近代第一家公共图书馆。该馆首批所藏，主要为1907年筹款七万三千元购进的杭州丁丙“八千卷楼”藏书。计有宋元以来各种善本书籍五万余册。1911年11月，该馆向读者开放。第一任总办为缪荃荪。

柳诒徵自1927年主持馆务，前后历二十年。数十年中，柳以馆为家，勤奋为公，备历艰辛，贡献甚巨。

先生重视充分发挥藏书的作用。先后主持编印藏书总目四十四卷，补编十二卷，于1933至1935年间出版，计三十大册，为我国近代自有图书馆以来，将全部藏书编成总目的第一家。

在古籍分类方面，先生根据近代图书出版物的实际情况，于经、史、子、集四部外，增设“志部”以收方志，“丛部”以收丛书，“图部”以收地图及各种图册；从而将古籍的“四分法”发展为“七分法”。

在先生筹划下，馆藏图书曾达二十四万余册，其数量为当时全国各图书馆之冠。其中仅《总目》正编所收图书即达三万七千零二种，五万九千二百二十八部，四十七万八千八百三十八卷。

除此之外，先生还精心挑选一批珍藏秘籍整理刊行。自1927年至1934年七年中，计印书六十三种，包括经部之属五，史部之属三十四，子部之属八,集部之属十六。其中有《洪武京城图志》、《南雍志》、《三朝辽事实录》、《经略复国要编》、《嘉靖东南平倭通录》等稀世之本。

先生非常关心外地来馆读书的好学之士,特为提供长期膳宿,并给予优待。此为我国近代图书馆事业之一大创举,有助于贫寒学子甚矣。如后来成为中国著名历史学家的蔡尚思教授,当年就曾住馆披阅秘籍、搜集资料达一年之久,得到过柳先生无微不至的关怀照应。为此,蔡教授曾撰《柳诒徵先生之最》一文表示感谢。

"七七"事变之后,南京时有日机来袭,形势日趋紧张。先生为图书安全转移,多方呼吁,全力奔走。八九月间,经先生周密筹划,将馆藏宋元善本,包括"八千卷楼"藏书及其他珍贵稿本、钞本、孤本、名家校本,造册登记,装于一百一十口大箱内,运至朝天宫博物院分院库房收藏。九十月间,又将江苏各县方志及丛书三万六千余册运往兴化,分藏中圩罗汉寺、观音阁、盛庄三处。

抗战胜利后,先生由重庆回到南京,即与各方接洽,陆续收回了包括"八千卷楼"藏书在内的十九万册图书。可惜藏于兴化的图书已为日寇焚毁。

南京解放前夕,先生不顾国民党江苏省政府南运图书的指令,将十多万册善本书全部装箱,仍放在朝天宫库房。南京解放后,国学图书馆的藏书、馆舍,均完好无损地移交给了人民政府,受到南京军管会的表扬。

文澜阁《四库全书》归阁散记

涂伯璞

清乾隆年间修《四库全书》，修成后共抄七部，分藏各地。其中江南三部，两部毁于战火，仅杭州文澜阁一部幸存，然亦已残缺。后经多方收集补抄，至1926年，共存书三千四百五十九种，三万六千二百七十八册。1937年抗战爆发，为安全计，即由杭州图书馆毛春翔等押运该库书向内地转移。是年冬，抵贵阳，即将该库书藏于郊外一大山洞中。1944年，又将该库书迁运至重庆西郊青木关山中。其时，我供职教育部，主管文博事业，且住所与藏书处紧邻，因得以经常与该库主管人员商讨其安全保管事宜。

抗战胜利后，有关各方对该库书之安全返阁极为关注。陈布雷先生特着其三弟叔谅，与我多次商谈运输方式，并广泛征求各方意见，最后认为，轮船飞机恐有水火之虞，还是用汽车陆运为妥。1946年5月，我们雇定五辆急于返乡的私人汽车，其中三辆装载盛书的大木箱，一辆乘载押运人员及其眷属，一辆乘载二十名全副武装的押运士兵，由重庆起程。就当时情势而言，山高路远，土匪出没，且各地权要，必然掣肘，此行实在吉凶难料。我只得勉力表示："委曲求全，一定安全送到。”

一路艰难险阻，自不必说。一天，车到距衡阳百余里一小站，忽传有土匪，随行武士，迅即跳车，抢占有利地形，性急者还打了一排枪。见无动静，便又上车，匆匆前行。到了浙江江山，谁知吾妻因连月颠簸，竟病倒在路旁一小茶棚内。也算天无绝人之路，这天适逢印缅远征军从前线撤回，十轮大卡车连绵而来。忽有一青年军官从一车上跳下，迳直来到茶棚，举手便向我行一军礼，说：“老师，您在这！”我想不起他是那位学生了，便说了原因。他出去了几分钟，竟请来了一位军医！这岂非叫为人师者自有天相！

看看要到杭州，一位安徽籍的车主兼司机，忽然又发话云：“我包车钱已用完，没钱添油，没钱吃饭，走不了了。”我明知是刁难，但公款已所剩无几。无奈，只好把妻子的金戒指送他。

总算到了诸暨，有铁路通往杭州。本应将装书汽车开上火车，谁知铁路部门却认为，几本破书算什么，要运就拆零运。但一拆零，谁也无法保证全部安全运到。交涉七天，毫无结果。最后只得电请浙江省府来人处理，此事才算解决。1946年6月中旬，这部《四库全书》终于安全抵达杭州孤山文澜阁老家。

全书归阁后，杭州文教界人士欢欣不已。杭州美院院长潘天寿，为余挚友，特在“天香阁”设宴，邀我痛饮绍兴老酒，并刻“文澜阁缘”、“蜀归后作”两方图章相赠。此二章现仍存我处。

《民国史档案》历险记

朱子爽 口述　王正元 整理

1912年1月，南京临时政府成立。不久，袁世凯窃据临时大总统职，南京临时政府结束，各部迁北京办公，其所有档案也随之北迁。后北洋历届政府均在北京执政，其档案也都在北京。上述所有档案，统称《民国史档案》，数量甚巨。

国民政府成立之初，无暇顾及这批档案的处理事宜。至1930年，国民党内方有某些要员提议，应将这批档案运至南京保存，但也有人不以为然，认为这批档案无非是些“断烂朝报”，付之一炬可也。争论中，蔡元培、叶楚伧、张继、吴敬恒等人都力主南运，因而获得首肯，决定由国府文官处、中宣部、内政部等部门会同，将全部民国史档案运到南京，锁于瞻园内政部后院数大间屋内。

1937年南京沦陷，这批档案未及运出。1946年抗战胜利后，国民政府“还都”南京，派人去查看，竟然仍门窗紧闭，锁锢如初，户内外满结蛛丝，尘封甚厚，所存档案，亦完整无缺，真是不幸中的万幸。

1947年，中央国史馆成立，张继受命为馆长，委派朱子爽为该馆史料征集科科长。朱签请将这批档案运存公园路鼎园国史馆内。张继批示："目前无庋藏房子，俟有房子即搬回，未搬回前可经常去看看。"次年秋，国史馆在淮海路购置了几幢房子，准备用作储藏档案。刚及粉刷，张忽于12月病逝，馆务由副馆长但焘代理。其时，淮海战役正紧，长江以北国民党地方当局大举南逃，苏北各县警察局长亦纷纷逃来南京，群集向内政部要房子住。该部某秘书打电话给朱子爽说："国史馆存在瞻园路的档案，究竟还要不要？不要，我们就烧掉了，好腾房子给警官住！"朱赶忙回答说："这批史料都是国宝，幸未毁于日寇，岂可毁于自己人之手？我马上派车去运！"朱随即商请事务科派车，请档案科长陈汉章同往搬运。正待出发，忽有文书科科长夏璟前来阻止称：应先向但代馆长请示再说。及但焘至，夏即汇报说："朱科长要用汽车去运档案了。"但听了，便把脸一沉，说："他倒有此闲情？形势如此紧张，档案搬来何用？"随即下令：汽车不准开出。朱忙解释：若不及时搬回，内政部就将烧掉这批档案。但淡然说："那就随他们便吧。"说毕，拂袖而去。朱忙找事务科田绥祥科长商量，田说："夏和但集中全力准备南逃，哪还管什么档案。他们忙他们的，我们搞我们的。淮海路已搭好几间活动房子，可以运去存放。"于是，大家便径自将汽车直开瞻园，把档案运到淮海路庋藏起来。陈汉章亲自押运，朱子爽则佯在公园路鼎园国史馆内办公，以掩人耳目。这样，这批《民国史档案》终

于被保存下来。南京解放时，完整地交给了人民政府。

朱希祖“郦亭”藏书

凌也徽

北京大学史学系第一任主任、历史学家朱希祖教授的藏书，最多时曾达二十五万余册。其中尤以各种野史、方志最为珍贵。因获明抄本郦道元《水经注》，遂名其藏书处为“郦亭”。谢国桢《晚明史籍考》云：“晚近海盐朱希祖先生喜藏野史，闻有一书，不惜兼金求之。缪(荃孙)氏所藏野史多入其手，故所得独多。”

日寇侵华，大劫将至，必须为藏书寻一安全之所。作为历史学家，先生看中了皖南山区的屯溪。屯溪隐于群山万壑之中，地处一隅，历史上鲜罹兵祸。于是购置八十余只大小木箱，亲自装置妥当，雇大卡车十辆，冒暑押运，自南京经宣城抵屯溪，再以船只数艘转运至凹下戴东原藏书楼，托学生戴伯湖权为保管。1944年，先生不幸逝世。抗战胜利后，其子朱偰偕家眷复员回到南京，即至屯溪凹下，藏书果然完好无损。亲朋皆云，先生真乃鉴地识人者也。

解放后，这批藏书由其子朱偰分期分批捐给国家。50年代初，由柳亚子先生经手，献五大

箱南明史料予北京图书馆。50年代中期,由郑振铎、王冶秋两先生经手,捐宋版《周礼》、明钞本《水经注》及《鸭江行部志》予前馆。60年代中,又将所余数万册图书悉数捐献予南京图书馆。对于朱氏这一高尚爱国行为,国家有关部门及中共江苏省委曾先后给予表彰。

朱偰及其《金陵古迹图考》

凌也澈

先夫朱偰(1907—1968),浙江海盐人,随父希祖公旅居南京。早年留学德国,获柏林大学哲学博士学位。1932年回国,任中央大学经济系教授、系主任,时年二十五岁。先生除对经济学有专门研究外,对文学、历史、哲学等学科亦均有研究,而尤以文、史造诣较深。

先生自1932年开始潜心研究中国方志之学。他认为,在中国七大古都中,论历史悠久、古迹众多、文物制度照耀千古者,除长安、洛阳外,当推金陵。若论文学之昌盛、人物之俊彦、山川之灵秀、气象之宏伟,以及与民族患难相关之密切,则当首推金陵。1932年至1935年间,先生专心研治金陵史迹。东至丹阳,西迄当涂,南临湖熟,北及浦镇,举凡古代城郭宫阙、陵寝坟墓、玄观梵刹、祠宇桥梁、园林宅第,无不遍览,并亲临摄影测量，于是有《金陵古迹图考》之作。其《自序》云："余深惧南都遗迹湮没无闻，后世之考古者，无从研求，故就三四年来考察所见，遗迹之犹幸保存者，摄为照片，辑为图考，以保留历史遗迹于万一。"先生另于所摄千余幅照片中，精选三百二十幅，印行《金陵古迹名胜影集》。《图考》《影集》，相得益彰，问世以来，深受学界欢迎。

1951 年，先生在南京大学任教。9 月 23 日，先生应刘伯承、陈毅二位将军之邀，在中共南京市委机关晤面。落座后，刘将军高兴地说："过去在延安时就读过你的《金陵古迹图考》，可惜无从会面。今日相见，可谓如愿以偿。"晤谈之后，两位将军又邀先生同去察看多处名胜古迹。先生当天的日记记载："刘陈两将军邀我乘车登清凉山，远眺莫愁湖，近观石头城，继又赴凤凰台，凭吊瓦官寺遗址及阮籍衣冠冢，下午又登紫金山，循谭墓而上，于第一峰凹处，北望六合、八卦洲一带。"数日之后，又同去观看南唐二陵。记得 9 月 23 日傍晚，先生回家时，特别高兴，说："刘陈二位将军，武能打仗卫国，文能博览群书；对我的著作如此重视赏识，真是莫大的荣幸与鼓舞。"

翁同龢紫芝白龟之室

翁宗庆

“紫芝白龟之室”为翁同龢又一室名。其“紫芝”、“白龟”，自有一段来历。

同治甲戌(1874)，翁四十五岁，时寓京邸，得家乡常熟函，知彩衣老宅庭院中生紫芝一枚，即视为瑞异。仲兄同爵知同龢爱此紫芝，遂用以贻弟。后又得友人杨沂孙(号濠叟)所赠白龟一只，遂以芝、龟署其室名。后又请濠叟书一篆匾并镌一白文印章曰“紫芝白龟之室”。其用意乃思念胞兄同爵及契友杨濠叟也。

濠叟有一首七古白龟诗曰：

龟乎用舍随时异，色相形模非一致。
古以太玄为宝藏，今得小龟资游戏。
北山愚公真好奇，屡令龟人致小龟。
或遇良朋有同好，叔平利叔皆分贻。
近得白龟三寸围，莹净如玉无瑕疵。
颁头赤眼左右倪，曳尾舒足之而垂。
白衣龙母虞山宅，种类繁多破山出。
涧石粼粼泉活活，龟人守黑还知白。
持献愚公等赵璧，杯水坳空一拳石。
小鲜亲饲巨口吞，唤以嘉名听默默。
我访愚公并访龟，欢然索作白龟诗。
我幸白龟生今时，不与人间是与非。
不登廊庙甘涂泥，不为人瑞不取讥。
有如隐士无闻知，守气导引寿者姿。
此德宜为吾辈师，安得十朋络绎至。
入此室处同栖迟，多且分赠濠叟归。
莫嫌臭味有差池，爱养不殊妾与儿，
作此好歌龟鉴之。

在这首诗中，“北山愚公”指赵宗建；“叔平”指翁叔平；“利叔”指杨汲庵。“破山”为寺名，该寺又名兴福寺。从诗中可知，赵宗建自破山寺得白龟数枚，随后即分赠叔平、利叔、濠叟三友。白龟色如象齿，眼如丹砂，养之可观赏，可怡情炼性，且寓有吉祥延年之意，故翁同龢极爱之。除濠叟所赠外，《翁文恭公日记》中还有其他友人数次赠白龟的记载。

常熟特产，世人但知有“虞山绿毛龟”，而鲜知虞山白龟更为珍奇。沪上友人李云泓曾畜白龟三只,余曾亲见之,然以难养,未久即悉数死去。十余年前,余抄濠叟《白龟诗》赠李,李君亦甚珍爱。濠叟诗未见刻本,《白龟诗》系录自友人俞运之先生处。

缪荃孙善评酒肴

杨长春

中国的饮食文化,源远流长。其菜肴之丰富多彩、美味纷呈,堪称世界之最。于是便有众多的"美食家"。清末民初著名学者江阴缪荃孙,即深知个中滋味者。缪一生交游广泛,所至京、沪、宁、汉、穗、蓉等地,旧交新知,颇有诗酒流连之乐。且每次宴饮,日记中必记下招饮者何人,在谁家寓所或何家菜馆,同席者何人,末了还对酒肴作出评语。约可分为四个等级,最上者为"酒菜极佳",其次为"酒菜均佳",中等或一般者评语略之,最下者为"酒菜并劣",当然这是很个别的。

缪氏认为,美酒佳肴,最好二者得兼,如菜甚佳,而酒劣,不足以称之,则憾甚。美食者身体也宜康吉,如有不适,身热口苦,则不知其味矣。1919 年,缪氏七十六岁,因患病,数月茹素,六月病初愈,与三四友人聚集小饮,席有佳肴。其初八日日记云:"半年不尝此美味矣。"其开怀可以想见。缪平日常挈眷至菜馆点菜,俾共享口福。

友人知其善食，亦常馈送菜肴一席，缪则回送酒一坛。

缪氏饮酒，五十岁以前，日记中常有“纵饮”、“痛饮”、“饮廿四巨觥”等，还有“薄醉”、“略醉”、“小醉”、“颓然醉矣”等记载。五十岁以后，则多记为“小饮”，可知已有所节制。

旧日友朋酬酢，唤妓侑酒，视为风流倜傥，缪氏置身此类场合，在所不免。光绪三十一年(1905)农历二月二十日日记云：“……招饮，……同席，打牌叫局，大约非三更不散，雨又大下，不入座而回。”可见他与那些轻薄冶游之流还是有所不同的。

扬州女界先进郭坚忍

武　维

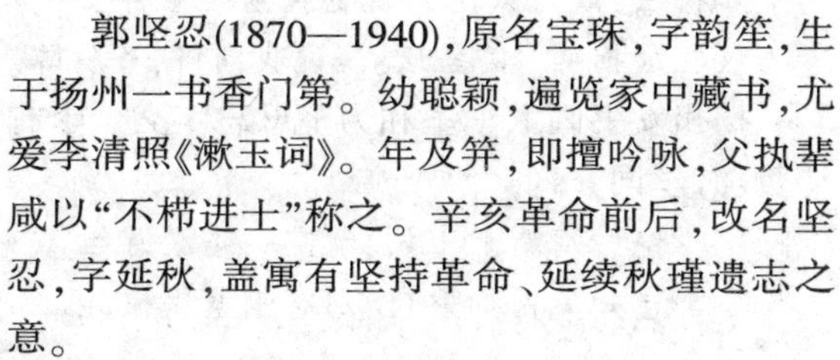

郭坚忍(1870—1940)，原名宝珠，字韵笙，生于扬州一书香门第。幼聪颖，遍览家中藏书，尤爱李清照《漱玉词》。年及笄，即擅吟咏，父执辈咸以“不栉进士”称之。辛亥革命前后，改名坚忍，字延秋，盖寓有坚持革命、延续秋瑾遗志之意。

坚忍认为，求妇女解放，必须自读书始，遂在扬州创办“幼女学堂”。辛亥后，扩大为“私立女子公学”，并增设女子师范班，招收有一定文化基础的妇女入学。授课内容,除文、史、算等科目外,还设有缝纫、烹调、种植等课程。

坚忍在办学的同时,积极参加社会活动。民国初年,响应何香凝号召,成立"扬州女子不缠足会"。在成立大会上,她发表演说,宣传天足,为了现身说法,当众将裹脚布解下扔掉,一时轰动全城。1915年,为反对日本政府向袁世凯提出灭亡中国的"二十一条"要求,扬州人民召开群众大会,坚忍上台演说,说至义愤填膺处,抽出随身小刀,割破手指,写下"抵制日货"四个血字,顿时全场沸腾。北伐以后,她当选为扬州妇女会会长,连选连任,终其一生。

坚忍有著作多种,现仅存《游丝词》。其《满江红·自题停琴拔剑小影》云:

> 一表英风,只应是绘图麟阁。却缘何钗环巾帼,潜藏绣幕。抱负未能伸志向,遭逢大半多轻薄。激昂时,罢调弃宫商,磨干莫。
>
> 长啸处,天惊愕。生铁铸,今生错。恨无知执法,欺人太恶。说甚德从唯顺守,更多仪礼加拘缚。偏登坛,演说我同侪,齐腾踔。

扬州女书画家李圣和为坚忍忘年交。李有诗赞《游丝词》曰:

> 绝妙清新漱玉词,晴空一缕漾游丝。
> 岂知风雨如磐夜,别有铜琶铁板辞。

韩国钧捐字助学

毛遂之

民国十一年（1922），江苏海安韩国钧先生(字紫石)来南京出任江苏省省长。韩为政清廉，关怀民隐，有政声。某日，韩出神策门(今中央门)，至燕子矶游览。游毕，在矶下关帝庙内江宁县北固乡第一小学(今燕子矶小学)休息。在与校长晤谈时，得悉县教育经费已经拖欠三月未发，教师生活极为困窘，学校已无一钱可支，而校内仍弦歌不辍，书声朗朗。韩同情之余，亦为之感叹不已。遂云："我的字在市上还可卖几个钱，给你校写几副对联，下星期到省公署去取。每副定价十元，如果卖出，二十副当得二百元，或可稍解燃眉之急。"

校长届时前往省长公署，韩果然已将对联写好。遂标价出售。外间闻悉省长亲笔写字出售，顿时轰动，二十副很快售完，计得二百元。省长捐字助学，遂成美谈。

冯玉祥愤拘不法日商

李　路

自袁世凯签订“二十一条”这一不平等条约后，强邻压境，日人在我国领土上恣意横行，随意殴辱我民众及士兵。对于此等情况，冯玉祥义愤填膺。在他担任北洋政府陆军第十六混成旅旅长，驻守湖南常德时，曾发生过这样的事：

民国七年(1918)七月七日，冯部辎重兵及伙夫四人，由河边挑水入城。因街道狭窄，行人拥挤，挑水兵即喊：“借光，借光!”其时有日商三人，正在街上行走。其中一名唤川崎崇助者，回头看到是挑水士兵，便破口大骂，随即又用手中木棍敲打士兵头部，另二人亦上前帮凶。挑水兵奋起夺下木棍，将其扭送旅部。冯玉祥旅长便命人将他们拘留起来。直至其所属日舰舰长菊地丰台及当地日本人会会长高桥屋一亲自前来，一再要求释放并担保随唤随到，才将其开释。

一波未平，一波又起。8日上午九时，五义洋行日人平冈定广，带五件行李由南门入城。守城兵士遵照戒严令予以检查，该日商不但拒绝检查，不肯交验证照，还动手打了士兵一个耳光，接着便对该士兵拳打脚踢。正巧冯玉祥巡查至此，见状极为气愤，立即命随从将该日商拘留，带回发落。后经日本隅田舰长亲自前来求情，并答应将其交长沙领事惩办，冯玉祥才下令将其释放。冯在当时给北洋政府的报告中说："大敌当至，不得不加意戒严……无论何国人民入城，均须细密检查。"

在常德的日商，历来多贩卖鸦片、吗啡等毒品。冯到常德后，即下令严禁烟土经营，凡查获日商贩土，即加拘留。他在呈报政府的密电中说："鸦片之禁，承各友邦之赞助，载在条约。日商悍然不顾，任意破坏，又妄腾口舌，谬以排日，还牵涉军人，居心尤为叵测。"要求政府据理责问日本大使。在当时军阀政府卖国求荣、奴颜婢膝的形势下，冯玉祥这种保卫人民利益，维护国家尊严的气概，确属难能可贵。

冯玉祥参观燕子矶小学

毛遂之

1928年，冯玉祥将军在南京就任行政院副院长兼军政部长。一日，冯玉祥由陶行知陪同，参观了燕子矶小学。将军见到该校设施朴实无华，整齐清洁，便于实用，很是赞许。尤其对该校提倡师生自己动手动脑，既读书又做事，改造学校、改造乡村社会的教育方法，更为欣赏。在欢迎会上，将军深有感慨地说，要办救国救民、爱

国爱民的教育，首先要教育学生不做“双料少爷、双料小姐”。学生在家，若父母娇惯，便成了少爷小姐，来到学校，若受到不健康思想的影响，便趾高气扬，忘乎所以，岂不成了双料的少爷小姐吗？这实在是当今中国教育界的一大弊病。会后，将军便濡笔挥毫，题写“请不要做双料少爷双料小姐”的横幅，送给该校留念。

嗣后，将军又问校长，办学中还有什么困难。校长如实汇报说，在改造燕子矶乡村社会时，困难较多，特别是学校附近常有流氓作恶捣乱，破坏学校设施，甚至和土匪勾结，抢劫绑架乡民，闹得学校与地方都不安宁。将军听了，立即表示回城后便想办法解决这一问题。

过了几天，冯将军派来一排精壮朴实的西北军士兵，驻扎在燕子矶山脚下，并在江滩上搭起帐篷。士兵们不但逐日出操，还在驻地附近协助学校师生打扫卫生。排长、班长又热情地访问农民和乡镇上的各界人士，欢迎他们到驻地参观。西北军的大刀队是很有名的，军士们除操练一般武艺外，每日还用大刀作肉搏演习，乡民围观，赞不绝口。从此，这一带的人们都知道燕子矶小学的校长是和军政部长冯玉祥将军有往来的，那些小流氓也就此销声匿迹。

马相伯书陶行知诗赠冯玉祥

孙永鑫

冯玉祥、马相伯和陶行知都是中国现代著名的爱国人士，三人相互交往密切。1930 年底，陶行知先生不顾国民党当局的迫害，从日本回到上海，任《申报》总经理处顾问，积极从事抗日救亡运动。针对国民党政府的不抵抗政策，陶先生在《申报·自由谈》上发表了两首讽刺诗：

“未”之命运

听说日攻马占山，日军未入山海关。
山海关内还有关，关外不如关内欢。
听说日军将入关，日军未上紫金山。
紫金山下满江水，船夫袖手看船翻。

观　战

弟弟出阵哥旁观，哥哥出阵弟旁观；
旁观旁观又旁观，江山一去何日还！

陶先生这两首诗，以极大的愤慨，谴责国民党政府“先安内，后攘外”的反动政策，表达了全国人民要求停止内战、一致对外的强烈愿望，在社会上产生了很大影响。

1932 年“九一八”事变周年纪念日，九十三岁高龄的爱国老人马相伯，怀着满腔悲愤，以行草书写了陶行知的这两首诗，并题跋云："焕章将军雄才伟略而谦恭自持，刻苦自励，有汉代大树将军之风。'九一八'变作，将军力主全国精神(诚)团结，以自力谋自助自救。而举世滔滔，务快其私，将军之志竟未由遂。迩近退居泰山，韬光养晦，然而宇内鼎沸，万方多难，祖生舞剑，马老抚髀，将军其遂能无动于中乎。右录焕章将军素所爱读之陶行知先生小诗两首，以志吾感，并以激励将军。"(原文无标点)书后，随即装裱成立轴一幅，寄赠给当时被迫在泰山隐居的冯玉祥将军。

半年之后，冯将军果然前往张家口，通电就任察哈尔民众抗日救国军总司令，高高举起了团结抗日的旗帜。

许地山给我的第一封情书

周俟松

地山离开我们已经有五十多个年头了。这几十年来，虽历经沧桑，他给我的第一封书信，我仍然珍贵地保存着。这封信写在印有兰花和红天竺果的彩笺上，共两页、十四行，以毛笔竖行书写，字体为草隶，带有篆体笔意。其文如下：

六小姐：

自识兰仪，心已嘿契，故每瞻玉度，则愉慰之情，甚于饥疗渴止。但以城郊路遥，不便时趋妆次，表示眷慕私衷。因是萦回于苦思甜梦间，未能解脱丝毫。即案上宝书亦为君掩尽矣。本月二十六日，少得一日之暇，如君不计其唐突，敢于上午十一时趋府侍君与令七妹先至公园一游，然后往观幕剧。耑此敬约，万祈赐诺。

顺颂

学安

七小姐乞为叱名问候

许赞堃谨白

十二月十九日

这封信写于1928年。原信无标点。因我行六，故信中称我为“六小姐”。“七小姐”指七妹铭洗。当时，我们姐妹随侍老父周大烈住北京石驸马大街。我在北京师范大学数学系读书，七妹正备考清华大学。“赞堃”为地山的名字，当时，他在燕京大学文学院和宗教学院任副教授。我们是经熊佛西、朱君允夫妇介绍，在熊宅初识的。熊当时也在燕大任教。朱君允则是我姐姐的小姑。

说是初识，其实，在此之前，我已经两次见到过许地山了。第一次是在1919年“五四”运动的时候，火烧赵家楼那天，我参加学生游行，到赵家楼时，看到一个长发披肩的青年，勇敢地冲在最前列，给我留下了深刻的印象。同学们告诉我，这个青年就是燕大的学生许地山。第二次是1922年在北京真光电影院。那一次，鲁迅先生为招待俄国盲诗人爱罗先珂，在这家电影院举行欢迎会，会上，我又见到了他。这一次我们仍然没有说过话，只是觉得他的头发短了些，不那么怪了。又过了几年，才又经熊氏夫妇安排了一次正式的会面。会面后，地山便给我来了这么一封信。

12月26日，我们姐妹便由许地山陪同，先到东安市场吃西餐，然后游中山公园，最后到真光电影院看了阮玲玉主演的一部电影。是《恋爱与义务》，还是《新女性》，我已经记不清了。

1929年5月1日，我和地山在北京中山公园来今雨轩举行了婚礼。

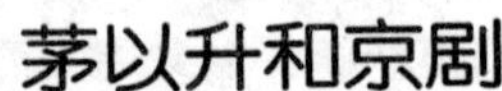

茅以升和京剧

钱 凯

茅以升是著名的桥梁专家，也是一位京剧迷。

1911年4月，在南京三牌楼举行了首次中国出口商品展览会。展览会规模宏大，五花八门。除陈列馆外，还有风味小吃，小火车，更有一座配有机关布景的新式舞台，演出“小子和”的连台戏《血泪碑》。茅以升闻讯，便偕友前往，每场看到深夜，场场必到，一场不缺。是年暑假，茅以升应同学之邀，到上海玩了十天。他们白天琢磨新奇的电车，晚上便去开业不久的“新舞台”，看“七盏灯”的花旦戏。平日，每到星期天，茅以升便到南京的“升平茶园”、“庆升茶园”看戏。这些地方演出的《紫霞宫》、《探阴山》等剧，常使他流连忘返。1926年，茅以升到北京交通部工作。这时，他虽然已经结婚有了孩子，但对京剧的兴趣仍丝毫不减，有时在孩子入睡后，夫妻竟双双“蹑足而去”。翌年，他到了天津郊区的北洋大学，离城远了，但只要天津城里有好戏，他和妻子总是设法前往一饱眼福，有时看得晚了，来不及回去，就在市区觅旅馆过夜。

茅以升不但喜欢看京剧，而且还自己动手编写剧本，乃至粉墨登场。1919年4月30日，“五四”运动前夕，茅以升正在美国匹兹堡留学，任匹兹堡中国留学生会副会长。他组织了一个以爱国主义为主题的晚会——“中国夜”。晚会以慷慨激越的反帝爱国演说为主，辅之以活泼而精彩的文艺节目，效果极佳，当地报纸次日纷纷报道。这个晚会的压台戏便是茅以升编剧的现代京戏《孝义节》。为了让台下的千余名美国观众看得懂，台词全部译成英文，演员皆以英语念白、演唱。在这个办得极其成功的晚会上，茅以升不但是晚会主席，而且还担任了《孝义节》的主角B角。

张友鸾骂进《世界日报》

张 锦

先父张友鸾自20年代起，驰骋报坛数十年，大部分时间都在民营报社中任职，并与两位报社社长结下了密切关系。其中关系最为深厚的，当推《世界日报》社长成舍我。

成舍我较先父年长十余岁。先父还在北京平民大学新闻系就读时，成已经是《世界日报》的社长了。1925年，《世界日报》总编辑张恨水提出辞职，安徽吴范寰便向成舍我推荐先父继任。先父到职后，成见他是个二十岁刚出头的青年，很不信任，便挽留张恨水留任，而在三天后便将先父辞退了。先父不服，当即写去一信，大骂成舍我，说他"狐埋狐搰，反复无常"。此语典出《国语·吴语》，谓狐性多疑，刚埋一物又掘出视之。喻人多疑，不能成事。先父写此信，本是年轻气盛，发泄不满而已，岂知成舍我一见此信，非但不气，反而大喜过望：此人虽出言不逊，但此信却骂得痛快，文章写得漂亮，很切中要害，有才气，此人非用不可！于是又将先父请回，任该报社会版编辑。过了一年，张恨水离职，成便决定由先父继任总编辑。先父当时年仅二十一岁。

先父这一骂，不仅骂进了《世界日报》，担任

了编辑乃至总编辑，而且此后还和成舍我结下了终身的友谊。

成舍我"舍我"坐牢

张 锦

1927年冬，成舍我到南京办《民生报》，邀先父张友鸾当总编辑。先父就职后，把报纸办得有声有色，在当时的南京新闻界产生了很大的影响。一年后，先父离开《民生报》。1935年，先父自办的《南京早报》，因经济不支，陷于困境。成舍我对此十分同情，表示欢迎先父仍回《民生报》工作。

谁知先父回到《民生报》之后仅仅一月，便闯下了大祸。其起因是报上登了一条新闻：行政院盖大楼，建筑商贿买政务处长彭学沛。彭哭诉于行政院长汪精卫。汪便滥用职权，借口《民生报》另一则新闻"泄露机密"，下令宪兵司令部派宪兵到报社查封、抓人。当时，成舍我不在报社。先父说："我是总编辑，新闻有问题，抓我好了。"宪兵不肯，一定要抓成。后来先父回忆说："成先生常对我们说，'只要保证真实，对社会无害，什么新闻都可以登。出了事，不要你们负责，打官司、坐牢，归我去！'成先生是实践了这一诺言的。"后来，成先生果然为此事去坐了四十天牢。

《民生报》也被查封了。

抗战胜利后，先父回到南京，复刊《南京人报》，但先父是赤手空拳，一无所有，于是便向成舍我求援。成一口答应，将原《民生报》的办公楼、印刷所全部借给。1949 年 2 月 1 日，《南京人报》刊登了“首都警察厅长黄珍吾拐带巨款潜逃被部属扭获”的消息。黄恼羞成怒，次日即派暴徒将报社捣毁。当晚，首都卫戍司令部又将《南京人报》查封。那些被捣毁的家具、设备，还都是成舍我的财产。

1990 年 7 月 23 日，先父不幸去世。成舍我在台湾得知后，便打来唁电：“惊闻鸾兄逝世，曷胜悲悼，远道不克趋奠，良深歉疚，谨电驰唁。”不久，听说年近百岁的成舍我先生也不幸逝于台湾。

关吉罡和莫德惠

洪　桥

关吉罡和莫德惠是同乡，一个是共产党的朋友，一个是国民党的元老。他们之间，曾有一段微妙的关系。

20 年代末，两人同在哈尔滨中东铁路理事会任职。“九一八”事变后，他们分散了。日寇侵入沈阳时，关吉罡激于民族义愤，立即甩掉“铁路”这只金饭碗，并卖尽家产，投奔东北人民抗日义勇军。后义勇军受挫，他随苑崇谷旅入苏联境内，经赤塔转海参崴到上海。此后，他参加了“东北救亡总会”，从事抗日救亡宣传工作。而莫德惠南下后，一帆风顺，青云直上。

1939年，关流亡到重庆，经东北抗日联军于炳然、刘丕光出面联络，当了莫的私人秘书。两人追叙前缘，交谊日笃。后来关当上“国大代表”，即由莫推荐。

1945年抗战胜利，关吉罡准备随新任命的吉林省政府一班官员飞吉工作。登机前，特务追来，拿出蒋介石的手令：“着即留渝察看”，因被扣下。直到次年春，莫德惠因公赴渝，才把他保释出来。以后，关到南京，继续任莫的秘书。这时，国民党腐败日甚，关瞒着莫，奋不顾身地为共产党工作。1947年秋，新四军干部郭润身的盐船在南京被扣，关吉罡动用莫氏图章出函担保，使盐船脱险。以后，郭即以关寓为据点，进行地下活动。这一期间，关的心情十分愉快。他在一首诗中写道：

如磐风雨写生涯，漠北江南泛血花。
万众奋身平世路，犁锄耕入帝王家。

一日，他在摆脱特务的跟踪之后，又在《送友人北归》一诗中写道：

未料虚生半百年，幸捐微力略帮闲。
四千年史翻新页，一个头颅值几钱？
且喜犁庭兵火近，亦知残命死生缘。
待看晓日春潮急，盼子归来唱冢前。

“北”指解放区，“友人”指新四军的一个干部。他在欢呼新中国即将诞生的同时，估计到自己随时有被捕的可能，因此在诗中表示愿为革命牺牲生命的决心。

1948年秋，国民党全面溃败。一日，莫德惠突然来到关寓，要求吃一顿家乡饺子。莫的真实用意是动员关随他同去台湾。关以家小拖累为由，婉言谢绝。莫叹了一口气说："人各有志，不好勉强。"临别时，莫补了一句："你有你的想法，我知道。"从此，两人海峡相隔，天各一方。

解放后，关吉罡任教南京师范学院历史系，为《太平天国史料丛刊》编纂。1979年去世。

"高亭主人"的来历

尹树人

书法家高二适自号"高亭主人"，高亭究竟在何处？这里面还有一段小小的故实。

抗战时，高二适随国民党政府西迁，住重庆独石桥，任立法院院长孙科的秘书。孙宅后花园是经常接待宾客的地方，高先生也常与章士钊、赵熙等人来此饮酒赋诗。当时，高正在研究孟浩然诗集，常在立法院宿舍彻夜朗诵。此事传到章士钊耳中，章即来函戏问："闻君尽力于孟，夜深讽诵，不知浩然之吟乎，抑二适之吟乎？"

一日，章士钊来孙府作客，就指着孙府花园

中的小亭对高二适说："湖北钟祥有一古亭，名'孟亭'，是纪念孟浩然的。此亭尚无题榜，我意可定名'高亭'，以与鄂之孟亭相媲美。"同时还写诗记此事："从古诗人定名盛，高亭应比孟亭尊。"为了感谢和纪念章士钊的表扬与鼓励，高二适便从此自号"高亭主人"。

江苏的"公车上书"

黄汉文

清光绪二十年(1894)中日甲午战争中,清军节节败退。次年春,北洋海军全军覆没。清政府派李鸿章赴日议和,日本政府提出极为苛刻的条件,强迫清政府签订丧权辱国的《马关条约》。消息传出,举国同愤。这年适逢会试,参加会试的举人云集京师,分别在各省、府会馆讨论国事,商议上书,反对签订《马关条约》。

镇洋(今江苏太仓)人汪曾武,是江苏举人的联络者。在议论呈文由谁执笔时,一致认为,汪平日关心"经世之学",遂商定请汪执笔。但因汪实在太忙,无暇操管为文。汪同乡挚友唐文治(字蔚芝),是壬辰科进士,正在户部供职。一日,偶到太仓会馆探访乡友,闻及上书事,遂对汪说:"吾弟既坐不下来,愚兄当代为捉刀。"

唐以半日一夜之功,拟就《上都察院呈》。盖去岁唐就曾有《请挽大局以维国运折》,针对清政府的积弊,及其在甲午战争中失败的原因,提出挽救危局的具体建议,受到户部尚书翁同龢的赞赏。此次《上都察院呈》,仍本前折精神,概述苏省举人的公论,对《马关条约》各款提出驳难,其议论剀切可行。当下即由汪曾武领衔,昭文(今江苏常熟)胡膺甫等五十余人具名,写定该呈,即江苏的"公车上书"。

其时,各省举人亦纷纷上书,反对签订《马关条约》。不久,南海举人康有为,联合十八省举人一千三百余人上书光绪帝,提出拒和、迁都、变法的主张,史称"公车上书";而各省的分别上书,则被称为"小公车上书"

十八省举人的"公车上书"早已广为人知,而各省的"小公车上书",则仅在朋辈中流传。据熟知此段故实的前辈言,"小公车上书"中,以唐文治代拟的江苏稿、梁启超(卓如)所拟的广东、湖南稿、陈衍(石遗)代拟的福建稿最为突出,可称鼎足而三。梁、陈当时均为"公车",而唐则以进士代为捉刀,实属难得。

科举亲试记

陈荫甫 遗稿　洪任吾 整理

清代科举，有“小考”、“大考”和会试。考秀才叫小考，考举人叫大考，考进士叫会试。

参加小考的是童生。参加考试时，须先有五童互结，经过认保或派保，认为身家清白，才准与考。小考有县考、府考、院考三级。每考都是五场。县、府考分别由童生所在县、府主持，而院考则是学政案临时考的。只有县、府考合格后才能参加院考。

记得我在府考时有个题目叫做“必先”。这“必先”二字是从《孟子》“故天将降大任于斯人也，必先苦其心志，劳其筋骨，饿其体肤”一段中截取而来，可说是断章取义。这次小考，我居然考在前十名内。第二年，我又参加院考。院考也是五场，前四场依次是经古、正场、提覆、总覆，最后一场则是见学政。那次院考，经古题为“唐太宗以李世勣为长城赋”，提覆题为“尚褧”，另一题为“不履阈”，题目还不算割裂。这几场我都通过了，遂进学为秀才。

大考称为“乡试”，是省级考试，一般每年农历八月初八至十六日在省城举行，故又称“秋闱”。乡试共三场，每三天一场，要考九天九夜。

江苏、安徽两省的乡试同在南京举行。每次考生约有两万多人，试院号舍鳞次栉比，每一条号舍分隔为一百号，其地仅可容膝。考生入场后，就将号门锁起，每日中晚两顿饭，由“号军”送进。另有“号官”，管理号舍启闭。每试一场，放考生出场一次。

我是壬寅年(1902)参加江南乡试的。是年已由八股改试策论。第一场是“史论”五篇，第二场是“时务策”五篇，第三场是“四书五经义”三篇。记得时务策有“收回治外法权”一题，令人颇觉新颖。这次大考，我得中举人。次年春天，我便去参加“会试”了。

会试本应在北京举行，但因京师考场已毁于八国联军放的大火，故这次会试改在开封。那时铁路仅到信阳州，我在信阳下车后，便改乘小轮车，经皖北周家口，河南汝宁、陈州、南阳三府，走了十八天，才到开封。一路阴雨泥泞，辛苦备至。次年，又去河南会试一次，是时铁路已过信阳，交通稍便。会试亦是三场，考舍情形亦与乡试大致相同，而日期则在农历三月初八日至三月十六日，故亦称“春闱”

书院改制见闻

卢文炳 遗稿　金成生 整理

书院之制，考《玉海》所载，唐玄宗置丽正书院，集文学之士，此为设书院之始。宋时有白鹿、石鼓、应天、岳麓四大书院。明之东林，声气独盛。清沿明制，亦以科举取士，而庠序教士，已成具文，人才多出于书院。清季鼎革，书院遂为学校取代。余曾亲历这一变革，现略述改制见闻如下：

以苏州言，旧有书院三：曰紫阳、正谊(属省)、平江(属府县)。紫阳、平江均课时文，后改策论。正谊则课经解、词章。紫阳、正谊每月省课，由抚、藩、臬三宪及督粮道轮流命题、阅卷。平江由苏州府及长洲、元和、吴县三县轮课，亦每月一试。此谓之"官课"。官课于"膏火"(资助读书之灯油费)外，考在前列者，另有嘉奖金。书院各延聘山长，亦按月课士，谓之"师课"。平江膏火较菲，名额亦较少。紫阳、正谊则不但膏火较厚，且各有图书、斋舍；初时尚有少数住院生。

后黄彭年收集正谊书院图书，并添购大量书籍，于沧浪亭对面可园建藏书楼及讲堂、斋舍，开办"学古堂"。由江苏学政于诸生中择优选入堂中肄业。该堂分斋课士，以学行兼优者为斋长，各为精深之研究，撰成著述，有《学古堂日记》刊行。以故人才辈出，可与江阴南菁书院齐名。

戊戌政变后，清廷推行新政，废科举、兴学校，即将书院改建为学校。1904年12月，署理两江总督端方奏陈在原紫阳书院设立江苏师范学堂，派罗振玉为监督。当时又以国人办学，尚少经验，多借才异国，遂聘日人藤田丰八为总教习，科学教师亦多延日人。是为苏州有学校之始。

时学古堂已改为存古学堂，后又办游学预备科于此。可园西部，初办中西书院，旋改中西学堂，至1905年，又改为高等学堂。正谊书院内，开办府中学堂。小学则除师范附属小学外，自1905至1910年间，又先后奏办三十余所小学堂，并于平江书院内设总汇处。至是书院制全废，而学校大兴矣。

苏州青阳地

卢文炳 遗稿　缪　含 整理

清政府甲午战败后，被迫与日本订立丧权辱国的《马关条约》。条约规定在苏州等地开辟“商埠”。次年，清政府又被迫与日本签订《通商行船条约》，承认日本在华享有领事裁判权和片面最惠国待遇。这样,日本侵略者就可援引英帝国主义强加于我国的《虎门条约》及《上海租界章程》的有关条款,取得在苏州等地“租借”土地、开设领事馆的“权利”。为强迫中国“履行”这些条约中有关苏州“通商”的条款,日方派代表荒木,并要清政府派道员黄遵宪,一同到苏州“勘察”选址,开辟商埠、设立领事馆。最后确定日租界设在盘门外的青阳地。

盘门外本是荒凉之地,素有“冷水盘门”之称。当时的青阳地,除在吴门桥附近略有商店外,一直到二马路口,只有路南有些民房。商埠开辟后,经号召居民振兴市面,原有住房略改门面,并增设一些商店,再加上新建了一座裕棠桥,前来观看新市场的人却也拥挤一时。日本领事馆就设在二马路。

在勘地之初,日人以为该地西至泰让桥,东至觅渡桥,内河轮船往来通畅,马路可直达火车站,在此开辟租界,一定很有发展前途。不料,这个如意算盘落了空。这是因为,苏人认为,在苏开辟商埠,是日人经济侵略的起点,必须设法遏止其扩展。经地方绅商及爱国人士反复商讨,议定以“自兴商市”之策,乘日本商埠立足未稳之际,先发制人,在阊门外赶筑马路,大兴商市,以抵制日方建埠。此策施行后,苏人竞往设肆经商,百姓亦踊跃前往,阊门外顿现繁荣。后来连日商的“东洋堂”、“丸三药房”也都迁到了阊门。此时,日人亦不愿在租界大量投资,于是青阳地始终未能繁荣起来。

以后，日人请求复开已废的古蛇门(位于南门以东)，拟从竹辉巷、乌鹊桥弄起，经平街、直街，直达市中心，建成一条繁华的通道，以带动青阳地的繁荣。但地方人士以原订通商条约无此条款为由，极力反对，日人的这一计谋又未能得逞。

最后，日人在再无别计可施的情况下，只能在二马路旁划出一片土地，种植樱花。开花时节日人麇集，携酒肴，设帐篷，狂歌乱舞，成为日人寻欢作乐之地。而中国同胞无不视租界为国耻。直到抗战胜利，日寇投降，国人收回租界，方始还我主权，洗雪国耻。

燕子矶头警世牌

邵仲香

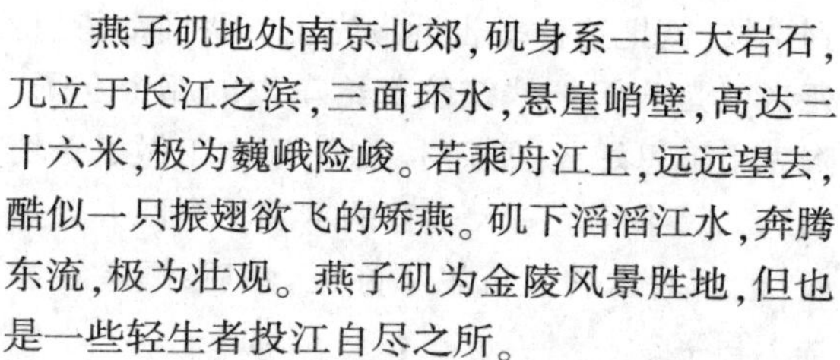

燕子矶地处南京北郊，矶身系一巨大岩石，兀立于长江之滨，三面环水，悬崖峭壁，高达三十六米，极为巍峨险峻。若乘舟江上，远远望去，酷似一只振翅欲飞的矫燕。矶下滔滔江水，奔腾东流，极为壮观。燕子矶为金陵风景胜地，但也是一些轻生者投江自尽之所。

1927 年春，陶行知先生在南京北郊劳山脚下的小庄创办晓庄师范，距燕子矶约七八华里。当时我任职该校，与陶先生都住在城里，因此常相伴回城。一日黄昏,陶先生让我先骑自行车到大路上找一辆人力车或马车。我到路边不多时,便等到一辆人力车。陶先生一到,我们便立即起程。他上车后,便笑着问车夫:"你今天怎么这样倒霉,没拉到回城的生意?"车夫说:"哪里倒霉,我今天算是走了运。早上在城里,遇到一个年轻女子要到燕子矶,我要一块钱,她价也没还就上车。到燕子矶,她给了一块钱,又掏出十六个铜板给我,说是给我买茶喝,就慢腾腾地上了山。这真是趟好生意。我到饭馆里饱吃了一顿,就在公园门口等着,打算再拉那个女子回城,没想到从中午一直等到刚才,也没见她出来,只好空车回城了。哪知又遇上你这位财神菩萨,你说走运不走运。"

第二天下午,我骑车返校,到佘儿岗时,碰到几个从燕子矶回来的学生,七嘴八舌地告诉我,他们在燕子矶游玩时,听到江边人声嘈杂,过去一看,矶脚下的老塘里漂着一具女尸,说是昨天从矶头跳下去的。我听后心情十分沉重,回到学校,就把这件事告诉陶先生。我们都猜想,死者就是昨天把钱统统都给车夫的那个女子。陶先生沉思好久,便到木工房,请木工做了一块大约二尺半长、一尺多宽的木牌。拿回办公室后,他面对木牌又沉思了好久,然后,提笔在木牌上写字。

次日,陶先生亲自拿着木牌,来到燕子矶最高处,把木牌牢牢插在石缝中。木牌正面写着"死不得"三个五寸见方的大字,大字下面写着两行小字："死有重于泰山，死有轻于鸿毛，与其为个人事投江而死，何如从事乡村教育，为中国三万万四千万同胞努力而生！"木牌背面也有三个醒目大字："想一想"，下面也写着两行小字："人生为一大事来，当做一大事去，你年富力强，有国当救，有民当爱，岂可轻生！"

直至抗战前夕，这块警世牌一直竖立在燕子矶头。人们称赞这是一块救命牌。它究竟挽救了多少企图投江自尽者的生命，无从统计，但是，据当年燕子矶小学的朋友讲，他们常常看到有些单身男女登上矶头后，在木牌前徘徊很久，直到天黑才下山。

陶先生的这块木牌，早已下落不明，但是，木牌上的警句，却一直深深地留在人们的记忆之中。

反对"废止旧医案"纪实

周晋生 遗稿　杨啸白 口述

王正元 整理

1929年2月23日，国民政府"第一届中央卫生委员会会议"在南京召开。余云岫等在会上以"不科学"为由，提出"废止旧医案"，企图通过行政手段，取缔中医中药。

当时，大城市中已流行西医而抑制中医。这

次卫生会议即为西医垄断，无一名中医代表参加。传闻行政院院长汪精卫患糖尿病，由上海西医余云岫医治，疗效颇好，深得汪之信赖。余反对中医最力，因有汪作后台，又得卫生署署长刘瑞恒支持，遂在会上提出废止中医的提案。他们甚至宣称，中医就像当年的八股文，应该坚决废除！经过一阵鼓噪，这一提案竟在会上通过。

消息传出，举国哗然。中医中药界反对该案最为强烈。全国各地各中医中药团体纷纷致电质问，并推派代表集会南京，商讨对策。到宁与会者计六十余人，有北平施今墨、陆仲庵，上海谢利恒，南京张简斋、杨伯雅、随翰英等。会议地点在慧园街杨伯雅诊所。会议商定，采取赴沪召开全国性会议、向国民政府请愿、上呈文、发通电等措施，坚决反对该案。其时，政府当局中亦有多人反对废除中医。如立法委员焦易堂，即到会慷慨陈词云："中医中药乃中华民族延续数千年之宝贵遗产，关系国民健康至深且巨。今竟有人提出废除，不仅不智，且是妄动。……吾辈当力争，以维护国粹。"

3 月 17 日，全国中医中药界十五省一百三十二个团体二百六十二名代表，云集上海，举行"全国中医药团体代表大会"。大会要求给予中医药业合法地位，中医药加入学制系统；决议成立"全国中医药团体总联合会"；选举谢利恒、随翰英等组成请愿代表团，立即晋京请愿。会后，请愿代表团由沪抵宁，与南京中医药界一百余人，同赴行政院请愿。院长汪精卫不敢出面，使秘书长曾仲鸣代见。请愿代表团推南京张简斋、张栋梁、上海黄安甫等十名代表见曾，其余人在大院内等候。曾说："中医不科学，汪院长不信中医，所以要研究限制中医登广告、开学校、带徒弟的办法。"代表们驳斥说，西医未传入中国之前，数千年来，上至朝廷，下至百姓，都用中医药治病，疗效显著，岂容轻易抹煞？曾词穷，表示愿向院长转达代表意见。嗣后，请愿队伍又到立法院请愿。当由立法委员焦易堂等接见。代表们向焦递交呈文，并陈述请愿要求。焦答将于立法院开会时提出讨论。

与此同时，各地反对"废止旧医案"的函电如雪片般飞到南京。诸多社团纷纷通电，维护中医中药，报刊舆论亦群起声援。国民政府除行政院外的其他各院，亦都不同意这一提案。于右任、戴传贤、林森等都表示，中医中药不应废除。立法委员彭养光，更联合近三分之二的立法委员，提议否决"废止旧医案"。行政院迫于各方压力，最后不得不宣布取消"废止旧医案"。

1931 年 3 月，"中央国医馆" 在南京正式成立，焦易堂任馆长，陈郁、施今墨任副馆长。随后，又成立"中医传习所"，延聘张简斋、张栋梁等任教。于是，这场反对废止中医药的风波，乃以胜利告终。

1931年高邮运堤决口灾赈纪略

朱仲坚

导淮倡议，垂近百年。解放以前，迄无成就。淮水东来，苏北当冲，仅赖一线运堤捍御。1931年，淮水大作，司堤防者生疏怠忽。自端午以来，日处危境。不图秋汛继涨，水位续高，洪泽、高宝二湖，早成一片。所恃宣泄，惟归海一坝，而启放颠倒无序，洪水中滞，以至汪洋之势。农历七月十三日，西北风狂吼如虎，惊涛骇浪，排山倒海，直扑高邮运堤，入夜尤甚。司河人员，抵御无策，弃守南逃，于是邮境运堤，冲决城北之挡军楼、荷花塘、七公殿、庙巷口等四处，城南之来圣庵等三处，同时又有江都之邵伯镇南北各一处。六七十里间，同时决堤达九处之多，为历史从来所未有。受祸之烈，以挡军楼一带，正当人口聚居之所，冲毁房屋数千间，浮尸二千余具。高邮习俗，极重虞祭，届时同期招魂野祀，哭声一片，惨不忍闻。堤防既决，运河东西，泛滥汪洋，扬州旧府所属，全部巨浸。灾民蜷缩树颠，露处高堆屋顶，困守待救，急于倒悬。

十八日，首由江苏临时义赈会，由沪来邮，

设临时办事处于舟次,偕地方人士办理急救、运输、收容、施粥、施医、掩埋等工作。迨至下旬,各私立善团有济生会、江北义赈会、红十字会、红卍字会、华洋义赈会等先后到达,各行其善。中秋左右,水灾救济委员会成立江北区工作组,派设高邮查放局办理查放。高邮赈济配放美麦两千吨;另有省赈务会所筹募之物品款项,分配于义赈会发放。盖自清季以来,各地办理官赈,因于灾情难分等次,故凡在灾区之内,皆平均沾被,以致轻灾者转成滥施,极贫者反不能救彻。又以层层转折,吏胥侵渔,冒滥虚领,纠纷多端。于是悉改官赈为义办,选交慈善团体查放,以期实惠及民。此次赈灾,高邮当局即与各私立善团,一律核查到户,严格灾贫等次,亲手交接钱物,力求宽放而救彻。各善团分工合作,照原十二区治,量力划分承担,认办收容、粥厂等事宜。对运堤决口,则由善团另筹专款,聘请久办堤防之王叔相、时绍武等,担任修复工程,历春夏而竣工。此次捐款中,有一无名氏者,独立捐助二十万元,可谓乐善好施者矣。综计各会急、冬、春、工等赈所施款物,估计约二百万元。其中政府支拨者,约占十分之二。

此次弥天巨浸,成兹浩劫,幸获群力支持,勉渡难厄。回首追忆,已逾数十年。当时政府事前不能预防,临事无法补苴,以致载道流离,饥寒满目。以今视昔,岂可同年而语哉!

邮邑是岁巨灾,全境陆沉,惟城东相距十里之钱家伙乡,合力保圩,得以独免。满目疮痍中,独该乡喜庆丰收。因并附记，以资今后鉴戒取法。

百年女学建校轶闻

雷甫鸣

南京明德女子中学(今南京女子中专)，建校于 1884 年。近年校中发现了久寻无着的《五十周年纪念手册》，其中有一篇简短的《校史》。其开头说："……本校创始于清光绪十年(1884)，原名明德女子书院。开创者，为美国教师李满夫人。是时，金陵城中无任何公私立女学校，而本校招生亦实至困难。初开学时只学生一人，经过三年，方有学生七人……"

当年，美国传教士在中国办女校，确实不易，因为谁也不愿让自己的女儿进洋人办的学校。于是，学校当局便在校内办起了"平民浴室"，免费让附近的妇女们来洗澡，还各发给一块粉红色的香肥皂，用以"培养感情"。日子久了，有的妇女和美国女教师相处熟了，就带小女孩来浴室，这些小女孩后来就逐渐成了明德幼稚园的小学生。但在第一年，招收到的那个学生，还是学校做饭的童师傅的小女儿，因为她就住在校内。经过三年，才增至七名学生。学校不收学杂费，还给牛奶、饼干吃。按美国传教士的说法是："只有从幼小时培养感情，她才能对美国忠实。"明德书院开始时期的小学生、中学生，都是从本校幼稚园升上去的。为什么不同时办小学呢？传教士们说："大的不要，她们不信我们!"直到后来，明德女中才逐渐在社会上招收学生。这些事情，是以"明德"为校名的最后一任华人校长黄丽明在讲校史时告诉我们的。

一元钱租金的金陵大学

谢 湘

1927年，国民政府在南京成立，规定外国教会学校一律要向中国政府立案登记。这在当时来说，也不过是官样文章。但美国教会在这一问题上却精明非常。金陵大学是美国基督会、南长老会、北长老会、美以美会和浸礼会等五个教会联合出资筹办的，由美国教会在纽约的"托事部"管理。为了明确美国教会对金陵大学的"主权"，并在法律地位上维护金大这块"文化租界"的特殊地位，美国教会有关机构遂授意金大校董事会在向中国政府立案登记（1928年9月2日）的同时，又由校董事会出面，与美国教会"托事部"订立契约，规定金大的所有地皮、房产设备等不动产，都是由"托事部"出租给金陵大学董事会的，每年租价为一元。这一元钱当然是象

征性的，其作用无非是从法律程序上明确美国教会对金陵大学的主权。为了保住这块“文化租界”,美国教会方面可算是费尽心机。1937 年,日寇内侵,金大准备西迁,美国方面遂命令将有关金大产权的各种契约文件,拍成照片百多张,洗印一式三份，其中一份由会计主任美国人毕律斯亲自寄往美国存档。另外,美国人还在经费来源等方面严格保持其对于金大的独占权。在金大六十多年的历史上,始终保持“独资经营”的政策,严格限制中国政府插足。我在金大财会部门工作二十多年,在我的记忆中,只是在抗战时期，理学院长魏学仁在重庆开办了一个电业机械系,“托事部”不肯给钱,曾接受过国民党政府的少量补助。1946 年,正值战后困难时期,中国各教会大学都想向中国政府“借款”,美国“托事部”干事芳维廉即写信给各教会大学校长,坚决反对“借款”。当时金大校长陈裕光和金女院校长吴贻芳都收到过芳维廉的这封信。我在有关档案材料里看到 1947 年美国驻华大使馆文化联络官范朋克代表美国国务院拨给金大美金四千元的文件，很可能是在芳维廉否决了各大学校长的借款动议后，美国政府所采取的一个行动。从这里也可以看出美国政府、美国教会和教会学校之间的关系。

后记

中国近现代史，是中华民族饱受帝国主义欺凌、封建主义荼毒的历史，也是中国人民奋起反抗、变革图强的历史。在那风起云涌的年代里，无数志士仁人，为了国家的独立、民族的解放、人民的幸福、社会的进步，舍身忘己，前仆后继，英勇奋斗，其光辉业绩永远值得我们怀念。

江苏历史悠久，文化发达，人文荟萃。近代以来，更为新旧文化、新旧思想交融激荡之前沿阵地；其风云际会，荦荦大端者，史不绝书；其流风余韵，犹遗爱人间，惜未之传耳。中央文史研究馆倡编文史笔记丛书，我馆馆员及部分馆外友好人士，于史多有亲历亲见，于文多有心得心传，遂本发扬爱国主义、弘扬民族优秀文化之宗旨，于编史修志之余，摭拾前闻，录而辑存之，得九十篇，厘为十栏，辑成本书，书名《三吴风采》。

本辑作品中，九十老人邵仲香、周侯松、周

尚、徐伯璞等馆员所写之亲历见闻，多为江苏重大历史、文化事件和重要文史人物之某个侧面，有较高史料价值。教育为立国之本。近代以来，江苏教育，在艰难困苦之中开辟发展，颇有经验教训可资借鉴。马相伯、唐文治、章太炎、陶行知、俞庆棠、陶桂林等前辈学人，或开一代新风，或毁家兴学，本辑有多篇文章忆及，颇可一读。陶德琨、谌秉直、何冰生等已故馆员，其遗稿多记有名人轶事，为不使湮没无闻，本书特加以整理发表。本辑更收有程千帆、徐复、吴白匋等当代学者的数篇文章，为全书增色不少。

自本辑征稿以来，馆员来稿十分踊跃。对入选稿件，我们均努力核对资料，考核事实，务求符合历史实际。对稿件之行文用语，亦反复推敲，力求准确精炼。参加本辑稿件编辑审阅工作的，有我馆金成生、洪任吾、业衍璋、缪含等馆员及特约编辑洪桥同志；我馆韩文忠、朱崇才同志做了许多编辑的具体工作，在此一并表示感谢。

由于编者水平所限，书中尚有种种不足，望读者不吝指教。

编　者